La collection
DOCUMENTS
est dirigée par
Gaëtan Lévesque

Dans la même collection

Bertrand, Claudine et Josée Bonneville, *La passion au féminin.*

Bettinotti, Julia et J. Gagnon, *Que c'est bête, ma belle ! Études sur la presse féminine au Québec.*

Brochu, André, *Tableau du poème.*

Carpentier, André, *Journal de mille jours [Carnets 1983-1986].*

Roy, Bruno, *Enseigner la littérature au Québec.*

Saint-Martin, Lori (dir.), *L'autre lecture. La critique au féminin et les textes québécois* (2 tomes).

Vanasse, André, *La littérature québécoise à l'étranger. Guide aux usagers.*

Whitfield, Agnès et Jacques Cotnam (dir.), *La nouvelle : écriture(s) et lecture(s).*

Rencontres avec Ariane Mnouchkine

Du même auteur

La culture contre l'art: essai d'économie politique du théâtre, Presses de l'Université du Québec., 1990.

Théâtralité, écriture et mise en scène (en collaboration avec J. Savona et E. A. Walker), Hurtubise HMH, coll. « Brèches », 1985.

SubStance, numéro spécial consacré au théâtre, « Theatre in France: Ten Years of Research », University of Wisconsin Press, n°s 18-19, décembre 1977.

JOSETTE FÉRAL

RENCONTRES AVEC ARIANE MNOUCHKINE

DRESSER UN MONUMENT À L'ÉPHÉMÈRE

COLLECTION DOCUMENTS

La publication de ce livre a été rendue possible grâce à l'aide financière du Conseil des Arts du Canada, du ministère des Communications du Canada, du ministère de la Culture et des Communications du Québec et du Comité des publications de l'Université du Québec à Montréal.

1781, rue Saint-Hubert
Montréal (Québec)
H2L 3Z1
Téléphone: 514.525.21.70
Télécopieur: 514.525.75.37

Dépôt légal: 2e trimestre 1995
Bibliothèque nationale du Canada
Bibliothèque nationale du Québec
ISBN 2-89261-138-5

Distribution en librairie:
Socadis
350, boulevard Lebeau
Ville Saint-Laurent (Québec)
H4N 1W6
Téléphone (jour): 514.331.33.00
Téléphone (soir): 514.331.31.97
Ligne extérieure: 1.800.361.28.47
Télécopieur: 514.745.32.82
Télex: 05-826568

Conception typographique et montage: Édiscript enr.
Maquette de la couverture: Alexandre Vanasse / Zirval Design
Photographies des couvertures: Martine Franck (Magnum)
Photographie de l'auteur: Laurent Féral-Pierssens

Un livre, si simple soit-il, est rarement l'œuvre d'une seule personne. Celui-ci n'échappe pas à la règle. Je tiens à remercier ceux qui, de près ou de loin — et ils ont été fort nombreux —, ont contribué à rendre ces entretiens possibles : le Théâtre du Soleil tout d'abord (Sophie Moscoso, Pierre Salesne, Liliana Andreoni, Sarah Cornell) et, bien sûr, Ariane Mnouchkine qui a accepté de répondre à toutes nos questions, le CRSH ensuite qui a financé en partie cette recherche. Un merci tout spécial à Elisabeth Larsen dont le regard aigu et l'énergie inépuisable ont soumis le manuscrit à une relecture attentive, y apportant toutes les modifications qui s'imposaient. Je remercie également Martine Franck et l'agence Magnum qui nous ont autorisés à reproduire ici des photos d'Ariane Mnouchkine et du Théâtre du Soleil.

Table des matières

Préface 11

Présentation : le jeu dans le théâtre de Mnouchkine 17

La théâtralité du jeu oriental 18

Des personnages porteurs d'un récit 19

Trouver la situation 20

Être au présent 21

Un stage au Soleil : une extraordinaire leçon de théâtre 27

Les règles sont données 28

Des masques qui voyagent très bien 29

Pour qu'il y ait du théâtre, vous n'avez qu'une seconde 30

Quelques règles de base pour les comédiens 33

Le masque constitue la formation essentielle du comédien 35

Entretien avec Ariane Mnouchkine : on n'invente plus de théories du jeu 39

Il y a des théories du jeu 39

Des lois fondamentales si mystérieuses ! 40

L'émotion vient de la reconnaissance 42

Muscler son imagination 46

Fuir le quotidien 47

Le théâtre est oriental 49

On n'invente plus de théories du jeu 51

Rencontre publique du Soleil avec les écoles de formation : une troupe commence par un rêve 55

Nous travaillons à laisser passer l'image 56

Le théâtre, c'est ici, maintenant, vraiment, rapidement 58

Chaque personnage contient tous les autres 60

Quelle tradition avons-nous à opposer à l'Orient ? 66

Il y a « de l'instant » et il y a une rencontre 68
Avoir envie de gravir la montagne 71
Je nous vois comme des dinosaures
complètement à contre-courant 73
Échanger, c'est vouloir recevoir 76
À un moment, telle pièce dit : « Bon, maintenant, c'est moi
l'épreuve » 79
Rien ne doit passer avant la beauté de l'œuvre et
le respect du public 80
Ce qui me décourage, c'est le désenchantement, le blasé,
le cynique... J'ai besoin d'une certaine religiosité,
d'un rapport au sacré 84
Il y aura toujours du rêve 86
Avoir le courage de prendre les indications
au pied de la lettre 95
Avoir de la crédulité 97
Je crois à la pédagogie de l'humble copie 103
Je ne suis pas très forte en méditation 105
Un public, c'est un rassemblement d'humanité
à son meilleur 107
Je trouve votre question terrifiante 114
Les classiques, c'est du jogging intellectuel 116
Il y a le moins de bruits inutiles possible 118
Ce qui est important, c'est que le public aille au théâtre 120

Préface

Lorsque j'ai pris contact avec le Théâtre du Soleil, en 1988, mon souhait était d'interroger Ariane Mnouchkine sur son art et sur les lois du théâtre. Ces lois fondamentales sur lesquelles elle travaille depuis près de trente ans et dont elle avait dit un jour : « Elles sont si mystérieuses, si volatiles ! On les découvre un soir et puis, le lendemain, il faut les chercher de nouveau, car elles ont disparu. »

Ces lois, quelles sont-elles ? Ariane Mnouchkine n'a pas de réponse définitive, mais le Théâtre du Soleil (et le travail qui s'y est accompli) offre une partie de la réponse parce que ce Théâtre est à lui seul une école de formation.

La quête de ces lois fondamentales oriente les entrevues réunies ici. En abordant ainsi le Théâtre du Soleil, je voulais savoir quelles étaient les théories sur lesquelles Mnouchkine s'appuyait dans sa direction d'acteurs : Avait-elle eu des maîtres à penser, hier ? En avait-elle encore aujourd'hui ? Y avait-il, selon elle, des théories qui soient utiles aux artistes ? Et, en l'absence de théories, à partir de quels modèles les praticiens allaient-ils, selon elle, puiser leur inspiration ? À travers ces interrogations, c'était donc la question du jeu de l'acteur qui était au centre de mes préoccupations.

Je voulais savoir, plus spécifiquement, comment Mnouchkine travaillait avec ses acteurs, quelles qualités elle leur demandait, quels étaient les défauts tangibles qu'elle réprouvait chez les comédiens, quelle formation il lui semblait utile d'avoir, quel rôle elle avait comme metteur en scène ?... Autant de questions auxquelles Ariane Mnouchkine a répondu avec générosité au cours de nos rencontres.

Bien sûr, la spectatrice que j'étais avait suivi avec fascination toute la démarche du Théâtre du Soleil, depuis *L'âge d'or*, qui m'avait laissé un éblouissement certain, jusqu'à *La ville parjure*, en passant par *Méphisto*, *Richard II*, *Henri IV*, *La nuit des rois*, *L'Indiade* et *Les Atrides*. Ne manquait à mon actif que *Norodom Sihanouk*.

C'est donc l'autre face d'Ariane Mnouchkine qui m'intéressait, non pas la femme metteur en scène, mais la directrice d'acteurs. Je voulais mieux la connaître, découvrir ses convictions profondes touchant le jeu de l'acteur et la formation du comédien.

Durant ce parcours, j'ai découvert une femme forte, une artiste entièrement vouée au théâtre, une femme exigeante, convaincue, refusant les compromis et toujours en quête de théâtre. J'ai trouvé aussi une femme à l'écoute de l'acteur, en dialogue avec lui, en attente de la petite étincelle qui, soudain, cristallise le vrai théâtre sur la scène.

Au travers de ce parcours, j'ai pu constater que des certitudes, Mnouchkine en a, bien sûr, comme tout un chacun, mais elle ne les établit pas en dogme. Elle sait trop que ces certitudes sont fragiles et qu'un rien suffit à les ébranler. La beauté, la cruauté du théâtre est précisément dans ce caractère éphémère des lois qu'on lui découvre. Vraies un soir, elles deviennent insaisissables le lendemain et les chemins qui y mènent sont difficiles à retracer. Il faut donc les découvrir à nouveau. C'est là la grandeur du théâtre et celle de l'artiste, mais aussi sa finitude.

Il n'est donc pas étonnant que chaque spectacle du Théâtre du Soleil ait toujours été pour moi une rencontre : rencontre avec un texte, avec des comédiens, avec un lieu, avec une équipe et, bien sûr, avec un metteur en scène. Chaque spectacle du Théâtre du Soleil m'a toujours apporté un immense plaisir parce que le jeu est toujours au rendez-vous, parce que le plaisir du théâtre est là et que la spectatrice que je suis aime cette plongée dans l'univers de la fiction et du récit. Toujours, il s'agit d'une fête. Même si parfois certains spectacles m'ont moins touchée que d'autres, il n'en demeure pas moins qu'aucun, sans exception, ne m'a jamais laissée indifférente et que c'est toujours avec un bonheur extrême, une attente particulière que je m'achemine vers la Cartoucherie.

Il était donc normal que je veuille prolonger ce plaisir par le désir de pénétrer plus profondément dans la démarche du Théâtre du Soleil afin de mettre en lumière le rapport de Mnouchkine avec ses acteurs, avec le jeu.

Ce questionnement s'est polarisé autour de trois rencontres. La première eut lieu à la Cartoucherie en 1988. Ce fut une entrevue au cours de laquelle Ariane Mnouchkine, malgré son extrême fatigue, accepta, dans des conditions difficiles, de répondre à toutes mes questions cependant qu'on entendait tout près, en fond de scène, les tambours et cymbales de *L'Indiade* qui résonnaient.

La deuxième rencontre fut le stage que donna Mnouchkine au printemps 1988 et auquel j'assistai avec deux cents autres participants. Le stage dura sept jours et fut une extraordinaire école de formation. Durant sept jours, les comédiens improvisèrent sur le thème de « l'occupation » et, durant tout ce temps, Mnouchkine observa leur jeu, prodiguant conseils et critiques, aidant chacun dans l'édification de son personnage, faisant saisir à tous et à chacun la fragilité du travail de l'acteur et l'importance du moindre détail.

La troisième rencontre enfin se déroula à Montréal en 1992. Il s'agissait d'un rassemblement organisé par le Département de théâtre de l'Université du Québec à Montréal avec toutes les écoles de formation [1]. Ariane avait accepté le principe de cette rencontre spontanément, généreusement, malgré un emploi du temps chargé. Chaque rencontre publique avec Mnouchkine est un événement. Il en fut ainsi pour celle-là.

---

1. Rencontre qui a été rendue possible par la venue à Montréal du Théâtre du Soleil, invité par Marie Hélène Falcon, directrice du Festival des Amériques, pour la présentation des *Atrides*.

Nous étions très nombreux ce jour-là, près de huit cents, répartis dans deux salles. Dans l'une d'elles, la rencontre était retransmise sur grand écran. Les spectateurs de la deuxième salle nous voyaient, nous ne pouvions que les entendre. Seule Mnouchkine pouvait voir, sur un écran vidéo placé devant elle, la personne qui lui posait une question de l'autre salle. Nous avions prié les Dieux, les dieux grecs bien entendu, pour que tout cela fonctionne adéquatement. Ils veillèrent au bon déroulement de la rencontre.

Le fait absolument exceptionnel que nous ayons été réunis en si grand nombre prouvait à quel point cette rencontre répondait à un besoin, à une nécessité, à une attente de la part du public. Il y avait, ce jour-là, répartis dans les deux salles, des représentants de toutes les écoles de Montréal et de la région : École nationale de théâtre du Canada, Conservatoire d'art dramatique de Montréal, option théâtre du collège Lionel-Groulx, option théâtre du collège de Saint-Hyacinthe ainsi que les programmes de théâtre des universités McGill et Concordia. Il y avait aussi, bien sûr, des représentants du Département de théâtre de l'Université du Québec à Montréal. Étaient également présents des membres du milieu professionnel et des représentants du public, de ce « public normal » dont parle Ariane Mnouchkine et qu'elle aime particulièrement.

Nous étions tous réunis, ce qui nous arrive rarement, trop rarement. C'était donc une première historique. Cette rencontre nous rappelait à tous, comme le faisaient *Les Atrides*, que le théâtre peut encore, comme dans la Grèce antique, rassembler des foules et créer l'événement.

La rencontre était initialement prévue pour une période de deux heures. Ariane Mnouchkine avait accepté de prolonger ce temps si le débat le nécessitait. Cela dura quatre heures. Les comédiens furent présents pendant les deux premières heures, mais ils durent partir par la suite pour aller préparer la représentation du soir. Mnouchkine resta donc seule en scène.

*

Les pages qui suivent restituent les diverses étapes de ce parcours : elles ont pour but d'interroger le jeu du Théâtre du Soleil, ses fondements, ses objectifs, ses stratégies. Elles ne visent pas à retracer le chemin de ce Théâtre à travers ses créations, mais plutôt à interroger, par-delà les diverses créations, les constantes qui orientent le travail de l'acteur.

Certains de ces textes ont déjà paru ailleurs[2], mais nous avons jugé utile de les reproduire ici, car ils traitent également du jeu de l'acteur. Les réponses

2. Chapitre 2 : « Un stage au Soleil : une extraordinaire leçon de théâtre », *Les Cahiers de théâtre JEU*, n° 52, septembre 1989, p. 15-22 ; Chapitre 3 : « Entretien avec Ariane Mnouchkine : on n'invente plus de théories du jeu », *ibid.*, p. 7-14.

apportées dans ces textes par le Théâtre du Soleil complètent le contenu de ce qui constitue le cœur de ce volume, soit la rencontre d'Ariane Mnouchkine avec les écoles de formation.

Il nous a fallu aussi trouver un titre à ce livre, tâche toujours quelque peu difficile quand il s'agit d'un recueil d'entretiens. Il nous est alors revenu en mémoire que, dans la préface qu'Ariane Mnouchkine avait rédigée pour *Le théâtre en France*[3], elle disait ceci : « Peut-on dresser un monument à l'éphémère ? Tout livre sur le théâtre est un peu ce monument. Meilleur et pire. Travail incomplet de résurrection impossible. »

C'est un peu ce que nous avons tenté d'accomplir ici : faire ressurgir l'impossible en tentant de fixer l'éphémère.

---

3. Jacqueline de Jommaron, *Le théâtre en France : du Moyen-Âge à nos jours*, Paris, Librairie générale française, 1992, p. 9.

Photo : Vaucluse-Matin

Ariane Mnouchkine et ses acteurs pour la production *Henry IV* (Shakespeare).

« La première conviction de Mnouchkine est que le théâtre occidental n'a créé aucune forme théâtrale si ce n'est la Commedia dell'arte, elle-même d'inspiration orientale. Reprenant les paroles d'Artaud, Mnouchkine affirme volontiers que “ le théâtre est oriental ”. » (p. 18)

Présentation : le jeu dans le théâtre de Mnouchkine

La problématique du jeu est au centre de la démarche théâtrale d'Ariane Mnouchkine. En effet, rares sont les praticiens qui ont, comme elle, réussi à maintenir depuis près de trente ans une compagnie animée d'un objectif unique, celui de servir le théâtre. Je ne connais personnellement que quelques autres exemples de ces entreprises liées à toute une vie : celle de Peter Brook à Paris, celle d'Eugenio Barba et de l'Odin Teatret à Holstebro au Danemark, celle du Bread and Puppet autour de Peter Schumann aux États-Unis. Il en est d'autres sans doute (Elizabeth LeCompte, Richard Foreman), mais les exemples demeurent rares et n'ont généralement pas connu la longévité dont jouit le Théâtre du Soleil.

Héritées des années soixante, ces structures collectives dont le Living a fourni un exemple mémorable se sont dissoutes avec l'avènement des années quatre-vingt et de celles qui ont suivi. Les démarches sont redevenues plus individuelles, centrées non autour d'une compagnie, mais autour d'une production. Au sein de ce panorama, le cas du Théâtre du Soleil est bien unique dans le paysage théâtral français.

Pourquoi donc choisir de traiter le jeu ici ? Parce que c'est évidemment la chose la plus importante pour tout acteur et pour tout metteur en scène, mais aussi et surtout parce que la préoccupation du jeu est centrale à toute la démarche d'Ariane Mnouchkine.

Si le Théâtre du Soleil existe, si tant d'acteurs y ont fait des séjours fort longs et que certains y sont encore, c'est que le souci premier de tous n'est pas de faire un spectacle, pas même une production, encore moins de monter un texte. Le souci premier, constant, permanent est de travailler le jeu de l'acteur.

Cette préoccupation est constante dans la pensée de Mnouchkine, depuis ses débuts jusqu'à aujourd'hui. Cette préoccupation l'incite d'ailleurs à offrir chaque année un stage gratuit sur le jeu à plus de deux cents participants, deux cents acteurs en herbe sélectionnés parmi plusieurs centaines, près d'un millier parfois, qui se portent candidats. Si quelqu'un interroge Mnouchkine sur le pourquoi de cette démarche, celle-ci répond que la formation de l'acteur la préoccupe énormément aujourd'hui parce que la formation en jeu se perd et que cela l'inquiète.

Aussi, au fil des années, A. Mnouchkine a-t-elle élaboré un certain savoir, une certaine connaissance des lois du théâtre, un savoir infus, découvert pas à pas et qu'elle refuse de mettre par écrit, car « tout a déjà été écrit sur le sujet et il suffit de relire Zéami, Jouvet, Copeau, Dullin» pour s'en convaincre [1].

En dépit de cette conviction profonde qu'on n'invente plus de théories du jeu, Ariane Mnouchkine a cependant redécouvert pour son compte quelques lois fondamentales, des lois mystérieuses, fugaces, qui nous échappent à peine saisies et qu'il faut redécouvrir sans cesse.

Quelles sont les lois du théâtre? À cette question, Ariane Mnouchkine évidemment refuse de répondre comme si elle détenait la vérité, l'unique vérité. Elle a pourtant quelques certitudes qui, mises bout à bout, finissent par rendre compte sinon d'une théorie, du moins de sa pratique à elle et des fondements sur lesquels repose le travail au Théâtre du Soleil. Il va de soi cependant que, si précises que soient ces lois, elles ne sauraient être édifiées en dogme. La pratique du théâtre les dépasse infiniment.

La théâtralité du jeu oriental

La première conviction de Mnouchkine est que le théâtre occidental n'a créé aucune forme théâtrale si ce n'est la Commedia dell'arte, elle-même d'inspiration orientale. Reprenant les paroles d'Artaud, Mnouchkine affirme volontiers que «le théâtre est oriental».

> Nous, Occidentaux, n'avons créé que des formes réalistes. C'est-à-dire que nous n'avons pas créé de «forme», à proprement parler [2].

En 1989, elle affirme de nouveau:

> Les théories orientales ont marqué tous les gens de théâtre. Elles ont marqué Artaud, Brecht et tous les autres parce que l'Orient est le berceau du théâtre. On va donc y chercher le théâtre. Artaud disait: «Le théâtre est oriental.» Cette réflexion va très loin [...]. Je dirai que l'acteur va tout chercher en Orient. À la fois le mythe et la réalité, à la fois l'intériorité et l'extériorisation, cette fameuse autopsie du cœur par le corps. On va y chercher aussi le non-réalisme, la théâtralité [3].

Pour toute personne qui a suivi le travail du Soleil depuis les Shakespeare, l'influence de l'Orient sur le Théâtre du Soleil est évidente. S'inspirant du Kabuki, du Nô et du Bunraku pour les Shakespeare, Mnouchkine a depuis ajouté l'influence de certaines danses indiennes auxquelles s'est adjointe dans *Les Atrides* une influence de la Grèce.

Mnouchkine s'est expliquée là encore sur cet accent qu'elle met sur l'Orient:

---

1. Voir l'entrevue que nous avons réalisée avec elle et qui est publiée ici même: «Entretien avec Ariane Mnouchkine: on n'invente plus de théories du jeu», chapitre 3, p. 40.
2. *Catalyse*, n° 4, juin/juillet/août 1986.
3. Voir chapitre 3, p. 49.

> Ce qui m'intéresse dans la tradition orientale, c'est que l'acteur y est créateur de métaphores. Son art consiste à montrer la passion, à raconter l'intérieur de l'être humain... Là, j'ai senti que la mission de l'acteur était d'ouvrir l'homme, comme une grenade. Pas de montrer ses tripes mais de les dessiner, les mettre en signes, en formes, en mouvements, en rythmes [4].

Des personnages porteurs d'un récit

Pour créér ces métaphores et créer la théâtralité du personnage porteur de signes (et non l'acteur vibrant émotionnellement sur la scène), Mnouchkine choisit une démarche où le personnage est avant tout *porteur d'un récit.* Comme dans le théâtre oriental, l'acteur doit avant tout raconter une histoire. C'était le cas dans les Shakespeare, ce l'est aussi dans *Les Atrides* ou *La ville parjure*. Pour cela, les personnages du Théâtre du Soleil sont souvent des types. Tout en ayant une individualité très forte, ils appartiennent néanmoins à la collectivité et portent ainsi sur eux la marque de l'histoire. C'est le cas de Norodom Sihanouk ou de Ghandi, ce l'est, plus encore, de la Mère, dans *La ville parjure.*

Fuyant la psychologie qui banalise le récit, les personnages créés par le Théâtre du Soleil ne portent jamais à eux seuls la totalité de la fable d'un sujet. Celle-ci est répartie entre tous les protagonistes, faisant de chacun un maillon essentiel au récit global. Pensons aux mendiants du cimetière dans *La ville parjure*, pensons au chœur dans *Les Atrides.* Cela explique sans doute pourquoi il n'y a pas vraiment de rôles secondaires dans les pièces du Théâtre du Soleil, tous les personnages y sont importants et portent avec eux, en eux, une part fondamentale du récit.

Cette loi a son envers dans la mesure où, s'il est clair qu'un personnage à lui seul ne peut porter la totalité du récit, il est clair aussi que tout personnage doit porter en lui tous les autres.

> [...] la loi qui nous paraît la plus importante, c'est de bien se rappeler que tous les personnages, tous, ont une âme complète. On se dit aussi, et ça, c'est un peu dogmatique, que chaque personnage d'une pièce contient tous les autres [...] Tout le monde est complet [5].

Là où le travail de l'acteur créant son personnage doit viser à extérioriser les signes, le travail psychologique l'invite au contraire à intérioriser les signes, mais pour n'en montrer que les effets.

C'est pourquoi Mnouchkine parlera plus volontiers de l'âme des personnages, de leurs passions que de leur psychologie. Car la psychologie banalise et les acteurs du Théâtre du Soleil s'en méfient. Elle réduit le jeu de l'acteur, l'éloignant de cette théâtralité qu'il recherche.

---

4. *Le Soir*, 20-21-22 juillet 1986.
5. Voir chapitre 3, p. 48.

Trouver la situation

Cette conception du personnage explique pourquoi l'acteur chez Mnouchkine travaille avant tout des situations, des états et non des émotions. L'émotion viendra d'elle-même par une rencontre entre le signe juste et la réception du spectateur. Elle viendra de la reconnaissance. Autrement dit, l'émotion ne doit pas être programmée dans la pièce. Elle n'est ni un outil de travail pour l'acteur ni un diapason auquel mesurer la justesse d'un personnage. L'émotion n'est pas recherchée pour elle-même, pour ce qu'elle veut dire. Elle est le résultat d'une rencontre qui a lieu entre l'acteur et le spectateur.

Trouver une situation juste et vraie qui ne soit pas nécessairement réaliste représente donc la tâche première de l'acteur. Mnouchkine insistait sur cet aspect du jeu déjà à l'époque de *L'âge d'or* dans une entrevue qu'elle donnait alors à Denis Bablet. Depuis, elle n'a cessé de le réaffirmer.

> Il faut trouver, pour commencer, la situation. Cette situation doit être vraie [6].

Il faut aussi créer un état lié à cette situation. La situation est le point de départ de tout travail théâtral. Elle est au centre de la démarche de l'acteur et c'est elle qui donne coloration, justesse, mais aussi sens à l'action. C'est elle qui met le récit en branle, qui permet de définir le personnage.

Cette situation peut et doit même être simple. Inutile de monter *Les misérables*, dit Mnouchkine aux acteurs qui viennent suivre ses stages. Quelques lignes suffisent. Il n'est pas nécessaire de charger les personnages du récit de tout un passé qui les accable avant même qu'ils ne soient entrés en scène.

La situation exige de l'acteur qu'il travaille le détail, le fait précis. C'est là, dans de petits actes justes et vrais que le personnage va acquérir sa force d'existence et que l'émotion va naître.

Or, ce travail du détail est menacé par deux grands maux qui guettent l'acteur. Le premier vient de ce que l'acteur, trop souvent, a tendance à jouer « l'idée » de la situation ou du personnage et non l'action elle-même, ce qui entraîne un « verbiage » gestuel qui étouffe la pureté du jeu. Le second vient de la tendance qu'a l'acteur à se laisser emporter par « le faire qui le bloque ou le laisser-faire où il ne fait rien ».

Dans son parcours, le principal allié de l'acteur est son imagination dont Mnouchkine dit volontiers que c'est un muscle qui se travaille. Une imagination se cultive, s'entretient.

Pour cela, Ariane donne quelques conseils simples à l'acteur, simples, mais néanmoins fondamentaux : il faut que l'action soit précise, que la situa-

---

6. « Rencontres avec le Théâtre du Soleil », *Travail théâtral*, Lausanne, n°s 18-19, printemps/hiver 1975, p. 10.

tion soit claire et, surtout, que l'acteur ne joue qu'une chose à la fois. En effet, l'un des reproches que fait souvent Mnouchkine aux acteurs qui suivent des stages avec elle, c'est celui de trop s'agiter sur la scène et de vouloir tout jouer en même temps. La « ligne » du récit, le « dessin » de l'action deviennent donc confus et le spectateur ne voit plus rien.

De ce point de vue, Ariane Mnouchkine a une approche souvent minimaliste, très fortement inspirée de la Commedia dell'arte, du jeu de masque ou du théâtre oriental. L'acteur doit savoir ne faire qu'une chose à la fois et, pour cela, il doit savoir ménager des arrêts, ne pas se laisser prendre par l'agitation, par l'action qui bloque le corps. Il doit apprendre à faire place au souffle, à inscrire des pauses, à accepter l'immobilité.

Il faut aussi qu'il sache prendre le temps, temps d'entrer dans un état, de fixer une situation, d'en faire le tour. Souvent l'acteur est trop pressé d'exprimer ce qu'il a à dire, observe Mnouchkine ; aussi, au lieu de vivre une situation, au lieu de la montrer, il la dit — en mots ou en gestes —, faisant ainsi disparaître l'un des principes fondamentaux du théâtre : le « reconnaître ». Le spectateur n'a plus le loisir de reconnaître un état ou une situation puisque l'acteur déchiffre pour lui la scène et l'en informe par des mots ou des gestes. Nous sommes proches de ce « verbiage » scénique que Mnouchkine dénonce et qu'elle cherche à fuir.

Aussi, au cours des improvisations, Mnouchkine conseille-t-elle souvent aux acteurs de renoncer aux actions trop longues qui finissent par brouiller l'image d'ensemble et par alourdir le processus, tout comme elle leur demande de fuir les actions trop lentes qui ralentissent le rythme et figent l'action. « C'est trop lent pour être honnête », aime-t-elle à dire durant les stages qu'elle donne. Pourquoi exprimer la lenteur par la lenteur ? Le théâtre n'aime pas de telles tautologies. Pour qu'il y ait théâtre, l'acteur n'a que quelques secondes et, ces quelques secondes, il ne peut les gaspiller en prétention inutile. « Vous ne pouvez pas dire au spectateur : attendez, je me prépare », fait-elle observer. Quand l'acteur entre en scène, l'action doit être déjà commencée, la situation définie, l'état du personnage évident.

D'où l'importance que Mnouchkine et ses acteurs accordent aux entrées et aux sorties des personnages, entrées et sorties saisissantes et superbes où l'action continue à se jouer même dans des corps figés. L'on pense aux entrées du chœur dans *Les Atrides* ou à la sortie de Clytemnestre emmenant Agamemnon mort à la fin de la pièce éponyme.

Être au présent

Si les entrées et les sorties des personnages sont si privilégiées dans l'esthétique du Théâtre du Soleil, c'est parce qu'elles lancent l'action ou l'interrompent en donnant toujours l'impression que ce à quoi assiste le spectateur, c'est au spectacle d'un récit qui se passe devant lui.

Le récit a lieu sur la scène dans l'immédiateté du moment, devant le spectateur, avec les autres acteurs, en collaboration avec eux, et le comédien doit savoir s'inscrire dans cette immédiateté et être présent. Pour cela, il lui faut se concentrer non pas sur *ce qui va arriver* sur scène ou sur *ce qui est arrivé*, mais sur ce qui s'y passe dans l'instant. Mnouchkine exige que l'acteur soit entièrement, absolument, *au présent*.

Là encore, il faut que l'acteur sache renoncer à ce qu'il a prévu pour saisir ce qui se présente. C'est pourquoi Mnouchkine accorde peu d'importance à la mémoire comme moteur du jeu [7]. Pour elle, l'important, c'est que l'acteur devienne visionnaire et finisse par croire, par voir « le ciel au-dessus [de lui], [par] voir la pluie », par croire à ce qu'il joue, à ce qu'il est, à ce qu'il incarne, « croire à ce que l'autre incarne, croire à son trouble, à sa force, à sa colère, à sa joie, à sa sensualité, à son amour, à sa haine [...]. Il faut y croire [8] ».

Cette foi s'apprend, elle se développe de plusieurs façons. L'une d'entre elles réside dans le regard. Il faut savoir regarder, écouter, comprendre. Il faut aussi avoir l'humilité de copier, copier le travail de l'autre, non pas de l'extérieur mais de l'intérieur. « Ayez l'humilité de mettre vos pas dans les pas de ceux qui vous ont précédés », dit volontiers Mnouchkine à ses acteurs. « Acceptez parfois d'être une humble copie. Défiez-vous de l'originalité à tout prix. » C'est dire que l'acteur doit être convexe et concave tout à la fois, convexe pour projeter, concave pour recevoir.

•

Jouer, dit Mnouchkine, c'est apprendre à gravir une montagne. À un participant qui lui demandait, lors de son passage à Montréal, quelles étaient les qualités essentielles nécessaires à l'acteur pour gravir cette montagne, Mnouchkine a répondu : « Il faut du courage, de la patience, un besoin de hauteur et de bons mollets [9]. » Cette façon qu'a Mnouchkine de ne jamais séparer le jeu de son inscription dans le corps met bien l'accent sur l'énorme travail physique que représente la tâche de tout acteur.

Loin des sommets sublimes d'une transcendance toujours possible, Ariane Mnouchkine rappelle que le théâtre se joue ici et maintenant, immédiatement, totalement.

Que l'acteur doive se doter pour ce faire d'un « corps le plus libre possible, le plus entraîné possible » paraît une évidence, mais Mnouchkine

7. Mnouchkine affirme ailleurs que l'imagination se travaille : « Par la sincérité. Par les émotions. Par le jeu, vraiment par le jeu. Pas par le souvenir [...]. » Ou encore : « Il faut, petit à petit, arriver à avoir des visions, à être visionnaire [...]. » Voir chapitre 3, p. 46-47.
8. Voir chapitre 3, p. 47.
9. Elle avait déjà évoqué un tel rapprochement entre la pratique du jeu et celle du corps lorsqu'elle affirmait que l'imagination, « ça se muscle, ça se travaille ». Voir chapitre 3, p. 46.

ajoute encore qu'il lui faut « aussi de l'imagination, une imagination entraînée et un immense besoin de dépassement ».

Quel rôle joue alors le metteur en scène dans tout ce processus ? Il travaille « à laisser passer l'image ». Cette modestie du propos de la part d'Ariane Mnouchkine cache, en fait, un maître toujours à l'écoute de ses acteurs, toujours réceptif, prêt à saisir l'inattendu, le sublime, le juste, le vrai, l'émouvant.

« Partir avec une œuvre, c'est partir à l'aventure, disait Mnouchkine. On croit découvrir l'Inde et on découvre l'Amérique. » De ces découvertes, l'œuvre d'Ariane Mnouchkine et celle des acteurs du Théâtre du Soleil sont la preuve permanente.

Photo : Josette Féral

Photo : Josette Féral

La Cartoucherie qui abrite le Théâtre du Soleil.

Un stage au Soleil : une extraordinaire leçon de théâtre

De tous les métiers, le théâtre est celui où la formation est la plus difficile à assumer et à suivre. Après les écoles et conservatoires, qui représentent la voie royale de formation pour les artistes, même si l'enseignement qui s'y donne est périodiquement contesté, viennent les universités, qui ont su créer depuis plus de dix ans des programmes d'enseignement pratique (cette constatation est plus vraie pour les universités étatsuniennes et canadiennes, qui disposent de budgets les autorisant à mettre en place de véritables programmes de formation, que pour les universités françaises, toujours terriblement démunies).

À côté de ces deux modes de formation, il existe d'autres voies, tels les stages et ateliers que donnent certaines compagnies de théâtre (comme celles d'Ariane Mnouchkine et de Peter Brook) à leurs membres, stages qu'elles ouvrent parfois, et souvent exceptionnellement, aux autres, les artistes avec ou sans talent, avec ou sans affiliation prestigieuse, mais avec un désir réel de perfectionnement et d'apprentissage. Pour tous ces acteurs en quête d'amélioration, la pénurie est grande. Beaucoup de stages sont offerts sur le marché, mais ils n'ont ni la même valeur ni le même intérêt.

Parmi les stages très courus, il en est qui ne sont pas annoncés, que seuls les initiés connaissent ; des stages dont on se communique entre amis les dates avant de les vérifier auprès des responsables mêmes. Le stage qu'offre chaque année Ariane Mnouchkine fait partie de ceux-là. Il est très attendu, très recherché. Les candidats s'y inscrivent en grand nombre, du monde entier, mais ils n'y sont pas automatiquement acceptés. Une entrevue préliminaire qu'Ariane Mnouchkine dirige seule détermine ceux qu'elle gardera et ceux qui ne pourront rester. C'est que les candidats sont nombreux (mille environ pour 1988) ; une sélection s'impose donc. Ariane Mnouchkine, en plus de faire les entretiens, assure à elle seule l'entier déroulement de ces quelques jours.

Il ne se dit rien de fondamental durant les quelques minutes d'entrevue. Tout juste les raisons pour lesquelles chacun désire tant suivre le stage. Pourtant, au terme de ces propos, Mnouchkine choisit tel candidat plutôt que tel autre. Sans doute a-t-elle perçu une sincérité, une sensibilité, une attente qui fait parfois pencher la balance. Les candidats, eux, sont souvent incapables de savoir ce qu'ils ont dit qui a pu orienter la décision finale.

Nous serons deux cent vingt en fin de parcours, venant de quarante-deux pays. Deux cents pour un stage qui va durer sept jours, peut-être dix. En effet, le bruit court parmi les stagiaires qu'il est déjà arrivé à Ariane

Mnouchkine de prolonger ses stages de quelques jours. De là à penser qu'elle le fera cette fois aussi... Tout le monde espère. Aux questions qui lui sont posées sur ce point, Mnouchkine répond qu'elle ne sait pas encore, que cela dépend de beaucoup de choses, avant tout de nous, les stagiaires.

Les règles sont données

À neuf heures dix, quand j'arrive le premier jour, l'appel est déjà commencé depuis neuf heures. La salle de la Cartoucherie semble dans l'attente d'un spectacle tant il y a de monde. Assistée de Sophie Moscoso, Ariane Mnouchkine lit les noms et tend à chacun une carte de présence qui va lui être nécessaire au cours des jours à venir. À la fin de l'appel des deux cent vingt noms, Mnouchkine retiendra les retardataires pour les sermonner avec véhémence. La première règle de l'acteur est la ponctualité. Les prochains retardataires seront rayés des listes. Avis aux intéressés. Très vite d'autres règles s'imposent : respect absolu des masques et des costumes, silence total dans la salle, observation attentive par tous de ce qui se passe sur la scène (l'apprentissage passe autant par le regard que par l'action, rappelle à plusieurs reprises et avec force Ariane), défense de faire autre chose pendant les improvisations et nettoyage de la salle en fin de journée. Pourtant, malgré ces contraintes, les acteurs sortiront et entreront pendant les improvisations, les costumes finiront toujours leur journée jetés en tas sur le sol, les stagiaires assis sur les gradins ne prêteront pas toujours au travail d'autrui l'attention demandée et le nettoyage échoira à une équipe de quelques volontaires qui remettront chaque soir la salle en ordre pour le lendemain. Seuls les masques bénéficieront du respect de tous. Difficile apprentissage d'une éthique ! Mnouchkine est outrée. Excédée et découragée devant tant de laxisme et de manque de bonne volonté, elle finira par annoncer au troisième jour de travail qu'elle interrompt le stage et que chacun peut rentrer chez soi. Cette fois-ci, le stage a vraiment très mal commencé. Le niveau est trop bas cette année, il n'y a aucun effort de collaboration réelle entre tous ; de plus, elle sent une animosité de la salle envers la scène qui ne stimule pas le travail. La douche est glacée pour les participants. Confrontés soudain à ce qu'ils n'avaient pas prévu, ils se réveilleront et s'emploieront à fléchir Mnouchkine, qui résiste. Deux heures de discussions finiront quand même par permettre la reprise du stage, mais cette fois-ci nous avons tous compris que nous ne bénéficierons pas des trois jours supplémentaires que chacun secrètement espérait.

Jamais Mnouchkine ne dira que, ce stage, elle le fait gratuitement (de tous les stages qui se donnent, celui-ci est le seul qui soit gratuit), par générosité, par amour du théâtre et pour les acteurs. Parce qu'Ariane Mnouchkine est très inquiète pour l'avenir du jeu théâtral, une pratique qui se perd et qu'il faut absolument chercher à sauver. Dès le début, elle a d'ailleurs été fort claire : « Peut-être y a-t-il parmi vous une vingtaine d'acteurs ; si c'était le cas, ce serait très bien. Nous allons donc essayer de faire du théâtre ensemble et si nous arrivions pendant ces quelques jours à avoir quelques minutes de théâtre, quelques minutes seulement, alors ce serait fantastique. » Il s'avérera qu'Ariane avait raison : durant ces sept journées, au cours desquelles chacun improvisera en moyenne deux saynètes en groupe, on pourra compter tout au plus une petite demi-heure de théâtre, une petite demi-heure seulement, mais une petite demi-heure intense et exceptionnelle. Cette demi-heure ne sera pas donnée d'un bloc, mais morcelée en fractions de quelques secondes, de quelques minutes parfois, où les spectateurs assisteront à l'émergence d'un récit et à l'osmose exceptionnelle entre un personnage et un comédien.

Des masques qui voyagent très bien

« Je voudrais vous rappeler à tous que c'est un stage. Sept jours que nous allons partager ensemble. Ce n'est pas une audition. Tant que vous rentrerez sur le tapis pour vous montrer, ou *me* montrer, vous ne montrerez rien. Ce n'est pas un stage de preuve. C'est un stage de théâtre. » La mise en garde par laquelle commence Ariane Mnouchkine est importante. Les acteurs présents, dont certains en sont à leur deuxième stage, voire à leur troisième, savent que Mnouchkine recrute parfois ses acteurs là. Il en a été ainsi pour *L'Indiade* et auparavant pour *Sihanouk*. Certains espèrent donc, d'autres ne sont là que pour le plaisir d'être là et d'apprendre sous le regard impitoyable de Mnouchkine. Car son regard sera d'une intensité et d'une rigueur rares. Assise au premier rang, elle suivra toutes les improvisations, même les plus pitoyables, avec une attention entière et une très grande écoute, cherchant avec détermination l'étincelle de théâtre là où elle peut se trouver. Et si les improvisations se succèdent sans génie, Mnouchkine n'en gardera pas moins un respect du travail de l'acteur quand ce dernier apporte sur la scène un désir véritable de création. Il lui arrivera d'être dure parfois, féroce même, paralysant au départ les plus téméraires (« Il n'y a pas là le son minimum », dira-t-elle avant de faire sortir un comédien de scène) ; mais son jugement sera toujours juste, sans complaisance, son regard précis, son attention intense ; elle quêtera le théâtre dans toutes les parcelles d'improvisation qui lui seront présentées à longueur de journée (de neuf heures à cinq heures, avec comme seules interruptions deux brèves pauses café et l'heure du déjeuner), dans tous les gestes, derrière les masques. Il lui arrivera d'interrompre brusquement une improvisation après quelques secondes, de faire sortir des comédiens du tapis, d'interdire même à un acteur d'entrer en scène en raison d'un costume qui porte la marque d'un manque de respect à l'égard d'un personnage. Ces moments que tout le monde finira par accepter parce qu'ils ne se révéleront jamais aléatoires, seront compensés par des moments remarquables où émergera, sous le regard de tous, un dialogue sans médiation entre Mnouchkine et un personnage. En effet, aux moments les plus productifs du stage, Mnouchkine fera travailler tel groupe d'acteurs ou tel acteur isolé dont elle a repéré qu'il était sur le point de donner naissance à un personnage, lui imposant une trajectoire, ouvrant devant lui un vaste imaginaire, l'animant d'un certain souffle qui lui donne de l'épaisseur et le projette en avant.

Conformément à son habitude, Mnouchkine fera travailler les acteurs avec des masques : des masques de la Commedia dell'arte et des masques balinais dont il apparaîtra, au cours des improvisations, qu'ils se marient bien ensemble et obéissent aux mêmes lois théâtrales. On fera ainsi la connaissance de Pandeba, de Rajissan, de Pucci (baptisé durant le stage)...

Mnouchkine a dit en commençant :

> Je ne vous donnerai pas les caractéristiques des masques, sinon je les réduirais. Certains ont des noms, d'autres pas. Celui-ci est Rajissan, par exemple. Ils sont tous grands. Ils ont une âme complète. Ne les méprisez pas. Ne les caricaturez pas, même s'ils manquent de culture. Contrairement aux masques du théâtre Nô, qu'on embaume si bien qu'on ne les trouve pas, ceux-là sont humains. Mais ceux-là aussi sont sacrés. Celui-ci, nous l'avons appelé Punta. Celui-là a des yeux, il danse. Il est très difficile, il n'a pas de nom. Lui, c'est Pandeba. Le masque est lourd, mais faites attention, il est léger, il est très léger. Ne le faites pas plus nigaud qu'il ne l'est. Lui aussi, il est complet. Il a des fesses, un trou de cul, et c'est ce que vous devez trouver. C'est évident que le premier bien qui puisse vous arriver, c'est d'en aimer un. C'est de le reconnaître, de l'avoir connu. Vous verrez, ils voyagent tous très bien. Ils sont surpris, mais ils s'adaptent très bien. Les masques de la Commedia dell'arte, c'est le contraire. Ils croulent sous les caractéristiques, ils meurent sous les caractéristiques. Ce sont tous des êtres humains. Ces masques sont en cuir, ou en bois. Ils sont très fragiles. C'est Erhard Stiefel qui les a faits. Vous pouvez imaginer ce qui va vous arriver si vous en cassez un. [Rires.]

Pour qu'il y ait du théâtre, vous n'avez qu'une seconde

Après la présentation des masques et leur première manipulation, vient le travail en équipe : choix d'un personnage, élaboration d'un scénario, préparation du costume. Mnouchkine a donné un thème : l'occupation. L'année précédente, le sujet avait été l'invasion. Les improvisations tourneront cette fois-ci autour de la collaboration, de la résistance, du marché noir, de la peur, des rivalités, de la lâcheté, des dénonciations. Tous les costumes du Théâtre du Soleil ont été mis à la disposition des comédiens, et l'on retrouve là les vêtements des Shakespeare, de *Sihanouk*, et même ceux de *L'âge d'or* et de *1789*. Mnouchkine a un goût particulier pour le costume, qu'elle aime vivant, riche, précis, fini. On voit derrière ses préoccupations ce qui a pu amener la splendeur des costumes des Shakespeare, leur extrême sensualité, la chaleur des costumes de *1789* et l'amoncellement des velours, lamés, brillants de ses divers spectacles. Durant le stage, l'habillage deviendra une phase importante de la préparation, celle qui permet à l'acteur d'entrer dans le personnage.

Pour les improvisations, les comédiens se réuniront par affinité pour élaborer ensemble des scénarios. Un quart d'heure, une demi-heure, parfois trois

Photo : Jœsette Féral

Masque balinais.

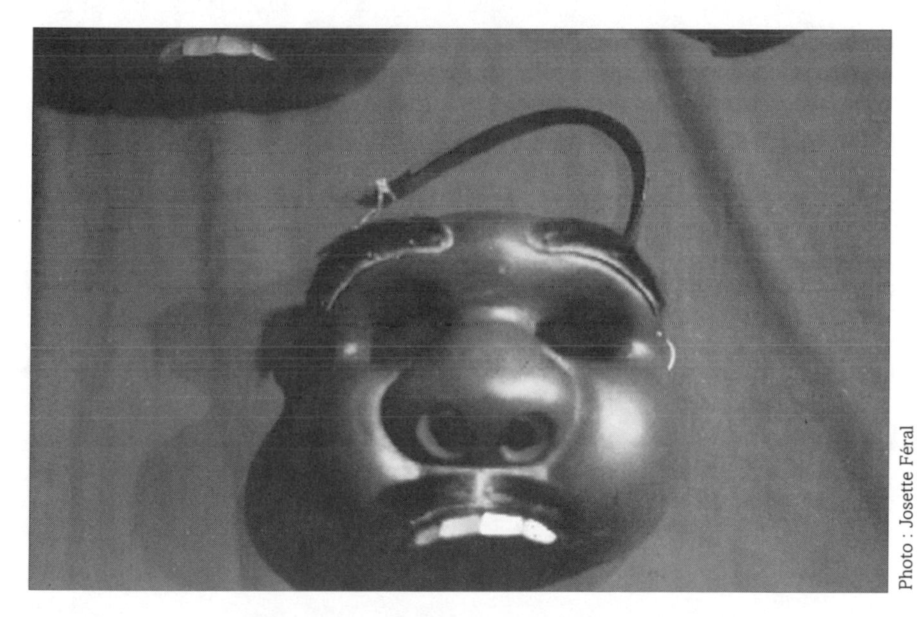

Photo : Josette Féral

Masque balinais appelé *Pandeba*.

« Lui, c'est Pandeba. Le masque est lourd, mais faites attention, il est léger, il est très léger. Ne le faites pas plus nigaud qu'il ne l'est. Lui aussi, il est complet. Il a des fesses, un trou de cul, et c'est ce que vous devez trouver. » (p. 30)

Photo : Josette Féral

Salle des costumes au cours du stage donné par Mnouchkine à la Cartoucherie.

quarts d'heure de concertation pour des improvisations qui ne durent souvent que quelques minutes. C'est trop long, rappelle souvent Ariane Mnouchkine. Les comédiens ont tendance à se perdre dans les dédales d'une intrigue alambiquée, au détriment du travail sur le détail des événements et des états.

> Pour qu'il y ait du théâtre, vous n'avez qu'une seconde. Quand vous entrez en scène, l'histoire se raconte déjà. Je veux voir un personnage tout de suite. Où est-il? Pourquoi est-il là? Les spectateurs ont payé, vous n'allez pas leur dire: attendez que je m'installe. Nous, le public, nous sommes là, et eux, les personnages, savent que nous sommes là. Je sais que tu sais que nous sommes là. Et tu sais que je sais que tu sais que... nous sommes là et nous sommes là pour eux. La chose la plus difficile, c'est cela.

Quelques règles de base pour les comédiens

Aux comédiens sur scène, Ariane répétera sans cesse les mêmes conseils, simples mais qui s'avèrent toujours difficiles à mettre en pratique.

Pour le travail préparatoire et le scénario: Ne faites pas des conciliabules où vous mettez en scène *Les misérables*. Contentez-vous de trois bonnes lignes de préface. Le but n'est pas d'arriver à la fin de l'histoire. Travaillez ensemble. Qu'est-ce qu'on peut faire tout seul chez soi? Tout seul, rien. Il faut apprendre ensemble. Écoutez-vous. Recevez-vous. Il faut que vous acceptiez des choses de l'autre. S'il vous propose quelque chose, prenez-le. Et s'il fait quelque chose de bien, imitez-le. Imiter ne veut pas dire plagier, cela veut dire reconnaître. Il y a des générations qui ont imité en Orient. Il ne s'agit pas d'imiter de l'extérieur mais de l'intérieur. Imiter non ce que l'autre a fait, mais ce qu'il a été. S'il vous est impossible d'imiter dans ce sens-là, alors il vous est impossible d'imiter quelqu'un d'autre, d'imiter un personnage. Il faut avoir l'humilité de mettre vos pas dans les pas déjà tracés.

Il faut avoir aussi de l'imagination et des secrets. Est-ce que vous avez des secrets? [Rires.] C'est visible que, dans ce stage, il n'y a pas de secrets. Il faut apprendre la patience et l'humilité du mystère. Ne cherchez pas à tout prix à faire original. L'originalité, je m'en fiche. Apprenez des autres. Quand quelqu'un fait quelque chose de bien, reprenez-le bien et portez-le plus loin. Évitez de tomber dans l'idée, cherchez le vrai, pas le réaliste. Le vrai n'est pas réaliste. Rentrer sur une scène, c'est déjà rentrer dans un lieu symbolique où tout est musical, poétique.

Pour le masque et le personnage: Les masques sont là, avec une exigence terrible et incontournable. L'acteur choisit le costume en fonction du masque et en fonction du personnage. Le masque n'est pas un maquillage. Ce n'est pas un objet parmi d'autres. Tout est à son service. Il vous dénonce tout de suite si vous l'utilisez mal. C'est vous qui devrez céder au masque, lui ne cédera jamais. Alors il faut l'estimer, l'aimer. Sinon, c'est comme si vous ne vous rendiez pas compte que ces masques ont une histoire, un passé, une divinité. Au lieu de vouloir monter vers eux, vous descendez les masques vers vous, vous les banalisez. Il y a un voyage à faire vers eux. On ne travaille pas ces masques comme ça, n'importe comment. On ne travaille pas non plus n'importe quel masque. Le rapport avec le masque est un rapport de grandeur. Ce sont des masques qui viennent de loin, d'un autre continent. Le théâtre est un autre continent. C'est comme si vous vouliez que le théâtre vienne chez nous. Non! le théâtre n'est pas bien chez nous.

Quand on appelle un personnage, il vient avec son monde. Il est complet. Les personnages ne sont pas des fonctions. Gardez l'autonomie de chaque personnage. Laissez de l'air autour d'eux. Pas de joliesse, de coquetterie. Mais ne faites pas des créatures bizarres et laides. C'est un péché que de ne pas penser que dans toute créature il y a de la beauté. Je veux voir un personnage. Je sens que vous voudriez que derrière le masque il y ait un mode d'emploi. Non!

Pour le costume : Finissez bien vos costumes. Ils peuvent être vos amis. Ce sont vos ennemis s'ils sont mal faits, s'ils ne tiennent pas. Les crânes, eux, doivent être terminés, couverts, sans cheveux. La peau nue est difficile à utiliser avec les masques. Les mains, les pieds, cela fait trop réaliste.

Pour le jeu : Cherchez votre petite musique intérieure qui rythme les actions. Laissez l'imagination vous venir. Le difficile, c'est de se laisser faire en faisant. Vous êtes ou bien dans le faire qui vous bloque, ou bien dans le laisser-faire où vous ne faites rien. Servez-vous de votre imagination. L'imagination est un muscle. Ça se forme, ça s'enrichit, ça se nourrit. L'acteur est un réceptacle actif, c'est là non pas la contradiction, mais la difficulté. Il doit être concave et convexe. Concave pour recevoir et convexe pour projeter.

Évitez de bouger tout le temps. Si vous bougez sans cesse, je ne vous vois plus. Il faut que vous trouviez vos arrêts et votre rythme. Les arrêts donnent le mouvement, les états donnent la vie. Pour que je vous voie, il faut que vous vous arrêtiez. Ne faites qu'une chose à la fois. [Puis à une actrice :] « Qu'est-ce que tu fais ? Tu sautes de joie, bien. Eh bien saute, puis parle, ne fais pas les deux en même temps ! » [À une autre :] « Tu as joué deux choses : ton désespoir et ta méfiance. Tu n'as pas réussi à jouer une chose à la fois. On n'a donc rien vu. Finis tes gestes. Prends le temps de tout finir. Pas de bégaiement du geste. Finis tes arrêts. »

Évitez la lenteur qui veut faire profond. C'est souvent trop lent pour être honnête. Ne tombez pas dans la vraie lenteur. Il faut jouer cette lenteur, mais en plus rapide. La lenteur est un ennemi. En quelques secondes, il ne reste rien de l'illumination antérieure.

Évitez de surjouer, d'être dans l'idée. Le verbiage est gestuel autant que verbal. Évitez le décoratif. Il y en a qui ne mesurent pas l'engagement physique que cela demande. N'ornez pas vos actions alors que vous n'avez pas l'essentiel. Il y en a qui arrivent et qui n'ont rien dans leur sac. D'autres qui arrivent avec plein de choses dans leur sac, et c'est pire. C'est du toc. Allez-y simplement.

Tu es tellement pressé, [dit Mnouchkine à l'un des comédiens,] que tu nous expliques au lieu de vivre. Ne commentez pas vos gestes sans cesse. Le public n'est pas bête, il comprend. Tu ne prends pas le temps de jouer et ton parcours et ta colère. Tu n'es pas au *présent.* Tu es déjà ici, et je ne vois pas ton parcours. Je veux connaître ton parcours avant que tu arrives là.

L'une de vos seules armes, c'est l'action. Mais tant que vous êtes dans le seul faire, rien ne peut vous arriver. Il faut donc des états, de la présence. C'est l'état qui justifie les actions. Le plus important est de trouver son état. Vous avez besoin d'un *état pur,* d'une suite d'états très purs. Est-ce que ça suffit de travailler sur l'état ? Est-ce qu'on est sûr de ce que vous croyez ou ne croyez pas ? Mais *croire* est le plus important. Vous croyez que l'espace est hors de vous. C'est faux, il est en vous. Je ne peux recevoir l'espace que si je vous vois le recevoir. Je ne vois la distance que par votre regard. C'est devant nous que vous voyez. C'est nous qui vous voyons voyant. Vous devez être des visionnaires. C'est essentiel.

Tant que nous aurons des entrées illustratives, figuratives, vous ne pourrez pas décoller. Si vous illustrez l'espace, il n'y a pas de scène, il n'y a pas de théâtre. Il faut voir pour croire. Vous voulez créer par l'intelligence. Non ! Donnez-vous le temps de faire fleurir un état.

Le problème est un rapport entre l'intérieur et l'extérieur. [Puis à un acteur :] « Tu n'arrives pas à traduire ce rapport, alors tu fais de petites choses, au lieu d'oser nous dire, au lieu de faire des signes. Ce sont les signes qui posent question. Tant qu'à un moment donné tu n'auras pas senti et l'émotion et l'extériorisation par le signe, tu n'auras pas trouvé. Ne te cache pas, dévoile. Il faut oser découvrir. Tu es figuratif au lieu d'être métaphorique, au lieu de trouver le signe. »

Votre problème sera de traduire votre état. C'est un problème de traduction. Le jeu dramatique est une traduction. Traduire quelque chose d'immatériel, traduire une émotion en un corps. C'est à travers le corps que cette émotion s'opère. L'acteur est un double traducteur, car sa propre traduction doit être elle aussi traduite.

Le masque constitue la formation essentielle du comédien

Il apparaîtra au cours de ce stage que le masque constitue la formation essentielle du comédien, parce qu'il ne permet pas le mensonge et dévoile toutes les faiblesses de l'acteur : manque d'imagination, savoir-faire plus que savoir-être, manque de présence, manque d'écoute. Par sa nature même, il dévoile toute complaisance, toute faiblesse. Il dessert le comédien qui n'entre pas dedans et s'en sert pour se cacher. Inversement, il peut devenir sublime et autoriser des moments de théâtre d'une rare intensité. Derrière le masque, grâce à lui et avec son aide, émergeront des personnages pris dans des aventures extraordinaires. Il est vrai que l'usage du masque impose une certaine forme de jeu que n'imposent pas d'autres formes théâtrales moins typées, mais il est évident que les règles du théâtre qui s'y appliquent sont valables partout et que c'est un des modes de formation où l'acteur ne peut entrer que nu.

Ainsi, au fil des cours, certains principes simples reviendront sans cesse, quoique leur application demeurera difficile : la distinction entre le facile et le simple, le décoratif et le nécessaire, la frime et la foi, le grand et le petit, la solitude et l'écoute, le déplacement et l'action, l'illustratif et l'état, l'extériorité et l'extériorisation. Certains des conseils que donne Mnouchkine aux comédiens finiront par avoir la force de maximes : trouver le petit détail vrai et précis ; chercher le petit pour trouver le grand ; ne pas confondre déplacement et expression, apoplexie et dynamisme, lenteur et profondeur ; refuser les déplacements pour eux-mêmes au théâtre ; ne pas jouer à contre-masque ; accepter une versatilité pendant l'improvisation et savoir renoncer à ce qu'on a prévu pour prendre ce qui se présente. Mais, plus que tout, Ariane soulignera inlassablement l'importance du regard que l'on porte sur les choses, regard qui apprend, qui écoute et qui rappelle la nécessité de l'apprentissage par l'observation. Les mots importants demeureront ceux d'état, de présence ; les règles fondamentales du jeu, celles de la précision au service de l'imagination. À l'acteur, que Mnouchkine définit comme un réceptacle actif et sur lequel elle porte un regard bienveillant, mais sans complaisance, doit correspondre une éthique du travail de l'acteur. C'est là la leçon fondamentale du stage.

Malgré les ratages nombreux, les réussites rares, ce stage aura été pour tous une fantastique leçon de théâtre. Mnouchkine rappellera, à la fin, que les lois du théâtre existent sans doute, mais que ce sont des lois exigeantes, qui vous fuient comme du mercure. Pendant la nuit, elles vont se cacher et, le lendemain, nul ne sait plus où elles sont allées.

Ariane Mnouchkine.

Photo tirée d'une bande vidéo de la Rencontre publique du Soleil avec les écoles de formation (chapitre 4). Cette bande vidéo a été réalisée par Jacques Archambault du Service de l'audiovisuel de l'UQAM.

Entretien avec Ariane Mnouchkine : on n'invente plus de théories du jeu

Il y a des théories du jeu

J. FÉRAL : Ariane Mnouchkine, je sais d'emblée que, à la première question que je vais vous poser, vous allez me répondre qu'il n'y a pas de théorie du jeu.

A. MNOUCHKINE : Je ne sais pas si je vous dirai qu'il n'y a pas de théorie du jeu. Je sais que, moi, je n'en ai pas, peut-être parce que, moi, je ne suis pas encore en mesure d'en élaborer une ; peut-être ne serai-je d'ailleurs jamais capable de le faire, parce que, dans l'idée de théorie du jeu, il y a en fait une élaboration écrite de la théorie du jeu et une pratique du jeu. Disons que, nous, metteurs en scène et acteurs, « nous pratiquons la pratique » et pas la théorie. Je pense qu'il y a sinon une théorie du jeu, du moins des lois théoriques qu'on retrouve curieusement dans toutes les traditions de jeu. L'expression « théorie du jeu » ne me paraît pas fondamentalement fausse, mais elle me semble toujours quelque peu impérialiste et prétentieuse. Je préfère utiliser les lois fondamentales que parfois on connaît, et que parfois on perd et on oublie, car ce n'est que la pratique qui tout à coup fait ressurgir la loi ou la tradition. Je ne vous dirai donc pas qu'il n'y a pas de théorie du jeu, au contraire, il y en a eu de multiples. Évidemment, ce qui m'intéresse dans ces multiples théories, ce sont les lois essentielles qui les traversent toutes.

J. FÉRAL : Dans les années soixante, il existait quelques théories du jeu auxquelles tout le monde se référait : celles de Brecht, d'Artaud, de Grotowski, par exemple, qui ont représenté un moment important de l'évolution théâtrale. Certains de ces théoriciens ont été des praticiens, d'autres pas. Artaud, par exemple, n'a pas été un praticien au même titre que Brecht, même s'il s'est essayé au théâtre, même s'il a écrit pour le théâtre. Par contre, ce qu'il a dit du théâtre a suffisamment eu de sens pour provoquer l'adhésion de toute une époque. Aujourd'hui les acteurs, les comédiens en formation sont quelque peu démunis parce que tous ceux qui étaient nos maîtres à penser ne le sont plus.

A. MNOUCHKINE : Il n'y a pas eu qu'eux. Ces théoriciens ont été parmi les plus grands, mais il n'y a pas eu qu'eux. Il y a eu Stanislavski évidemment, Meyerhold... Et d'autres. En France, par exemple, certains ont écrit des choses absolument fondamentales : Copeau, Dullin, Jouvet. Si vous les relisez, vous vous apercevrez qu'il y a des choses dans les écrits de Copeau qu'on retrouve dans Zeami, et c'est ce qui est intéressant, émouvant, non pas rassurant, mais « confortant ». On voit alors que Copeau redit au XXe siècle ce qui s'est dit au XVe siècle au Japon et que Brecht, tout original et idéologue qu'il peut être, dans ses moments les moins législateurs, redécouvre des choses tout à fait traditionnelles du théâtre oriental. Vous avez raison, moi je ne ferais pas de différence entre maître à penser praticien et maître à penser non-praticien parce que même Artaud, d'après ce que l'on sait, a échoué dans le domaine de la pratique, probablement parce qu'il n'a eu ni les forces physiques ni les forces mentales de réaliser ce qu'il voulait. Mais ce qu'il écrit est si proche de la pratique du théâtre balinais, il en fait une traduction théorique si forte que c'est presque de la pratique.

J. FÉRAL : Artaud a eu des intuitions si fortes qu'elles ont rejoint notre sensibilité, notre attente dans le domaine du théâtre, si bien que, même s'il ne donne pas de méthode, il reste important. Stanislavski, Brecht, Artaud se rejoignent sur un point, c'est que les lois qu'ils tentent de révéler s'appuient avant tout sur une vision de ce que doit être l'acte théâtral dans son essence.

A. MNOUCHKINE : Je ne mettrais pas Artaud et Brecht sur le même plan. Artaud est plus proche du fondamental que Brecht. Brecht a donné les lois d'un certain type de théâtre, dont certaines se retrouvent dans tous les types de théâtre. Je crois qu'Artaud a envisagé la fonction, la mission de l'acteur de façon plus profonde... moins politique et plus métaphysique.

Des lois fondamentales si mystérieuses !

J. FÉRAL : On a l'impression que les pratiques du théâtre, en Orient comme en Occident, sont devenues universelles même si les techniques varient d'un endroit à l'autre, parce qu'elles sont régies par les lois fondamentales dont nous parlions. Quelles sont ces lois ?

A. MNOUCHKINE : Vous voulez que j'en fasse un inventaire ? [Rires.] Comment vous dire ? Elles sont à la fois si mystérieuses et si volatiles. Parfois, on a l'impression qu'une répétition se passe à se souvenir de lois que l'on pensait parfaitement connaître la veille. Tout à coup, pendant une répétition, il n'y a plus de théâtre. Un acteur n'arrive plus à jouer, un metteur en scène n'arrive plus à aider un acteur. On se demande pourquoi et on ne comprend pas. On a l'impression de respecter les lois et en fait, subitement, on s'aperçoit qu'on a oublié l'essentiel, comme d'être au présent. Je pense que le théâtre est l'art du présent pour l'acteur. Il n'y a pas de passé, pas d'avenir. Il y a le présent, l'acte présent.

Quand je vois de jeunes élèves travailler comme ils disent « sur les méthodes de Stanislavski », je suis surprise de constater combien parfois ils « rentrent au passé ». Évidemment, Stanislavski parle du passé du personnage, d'où il vient, de ce qu'il fait. Mais alors, du coup, les élèves n'arrivent plus à trouver le présent tout simplement, l'action présente. Alors quand ils rentrent, je leur dis toujours : « Vous entrez penchés en arrière, alourdis de tout ce passé, alors qu'au théâtre il n'existe que l'instant. » La plus grande loi mystérieuse est sans doute celle qui régit le mystère entre l'intérieur et l'extérieur, entre l'état (ou le sentiment, comme dit Jouvet) et la forme. Comment donner une forme à une passion ? Comment extérioriser sans tomber dans l'extériorité ? Comment l'autopsie du corps... du cœur, peut-elle se faire ? [Ariane Mnouchkine dit « corps » avant de se reprendre et de dire « cœur » — « Mon lapsus est assez révélateur puisque cette autopsie, c'est par le corps qu'on la fait. »] On peut dire qu'un acteur digne de ce nom, ou une actrice digne de ce nom, est une sorte d'« autopsieur », une sorte d'écorché permanent comme sur les gravures. Son rôle est de montrer l'intérieur.

Hier, c'était très beau, il y avait un petit débat [1] avec des lycéens en option théâtre, tous très jeunes. Ils n'arrêtaient pas de me poser la même question : « Comment ça se fait qu'il y a tant d'émotion ? » (C'est un moment où Nehru dit : « J'ai peur. ») C'était une toute petite jeune fille de quinze ans à peine qui me posait la

1. À propos du spectacle *L'Indiade*.

question, puis un garçon. Alors on s'est posé la question ensemble. Comment ? Pourquoi une jeune fille de quinze ans, française, pouvait être tout à coup émue par une scène particulière de Nehru ? Et on s'est dit qu'il y a quelque chose de particulier au théâtre qui est la mémoire du non-vécu. Ainsi une jeune fille française n'ayant pas vécu est capable, par la grâce du théâtre, et de l'acteur, de comprendre et de reconnaître ce qu'elle a de semblable à un homme de soixante ans, qui vit dans un pays de quatre cents millions d'habitants, de comprendre sa peur. On était contents de découvrir que le théâtre, c'est ça, que le théâtre survient au moment où un acteur réussit à rendre familier l'inconnu et, à l'inverse, éblouit et bouleverse le familier (pas le quotidien, parce que le quotidien, c'est justement « l'usé d'avance »). Alors quand vous me demandez quelles sont ces lois ?... Si je les connaissais en permanence, je ne me dirais pas ce que je me dis tous les jours en répétition : « Bon, alors, qu'est-ce que le théâtre ? Va-t-on réussir à avoir un instant de théâtre aujourd'hui ? »

L'émotion vient de la reconnaissance

J. FÉRAL : Cette émotion, vous en parlez du point de vue de l'acteur, mais il est vrai que cette émotion que l'acteur crée et projette par le biais de son personnage, elle existe aussi du côté du spectateur qui, lui, va la chercher chez l'acteur. Ce sont deux émotions qui se rencontrent.

A. MNOUCHKINE : L'émotion est différente dans ces deux cas. Par exemple, le théâtre indien offre quelque chose de très beau de ce point de vue. Il y a de grands livres théoriques sur le sujet. Il y a Zeami, bien sûr, mais il y a aussi un livre indien, un ouvrage énorme qui donne la théorie de tout le théâtre indien. On y trouve quelques lois que je trouve extraordinaires. Il y a, par exemple, deux mots différents pour définir l'émotion de l'acteur et du personnage, et celle du spectateur regardant cet acteur. Et je trouve que, dans leur style de jeu, certains acteurs occidentaux confondent ce qui devrait être leur émotion et qui devrait être dans l'action, et ce qui sera l'émotion du spectateur. Les bons moments, c'est lorsque tout à coup un spectateur a des larmes dans les yeux alors que l'acteur joue un moment d'enthou-

Photo : Martine Franck (Magnum)

La ville parjure **(Hélène Cixous).**

« On était contents de découvrir que le théâtre, c'est ça, que le théâtre survient au moment où un acteur réussit à rendre familier l'inconnu [...]. » (p. 42)

Photo : Vaucluse-Matin

***La nuit des rois* (Shakespeare).**

« [...] ce que j'essaye de faire avec l'acteur, c'est qu'il soit au présent, dans son action, dans son émotion, dans son état et dans la versatilité de la vie aussi. » (p. 45) siasme, de bonheur et de rire. Pourquoi subitement vous mettez-vous à pleurer de joie ou de reconnaissance ?

J. FÉRAL : Parce qu'on perçoit à ce moment-là la justesse de ce qui se passe, la vérité du moment auquel on assiste, indépendamment de ce qu'il exprime.

A. MNOUCHKINE : Exactement, l'émotion vient de la reconnaissance, du fait que c'est vrai.

J. FÉRAL : Cette reconnaissance n'est pas seulement celle du contenu, de ce qui se dit, de la vie qui y est jouée ; c'est la reconnaissance de la justesse de ce qui se passe sur scène perçue dans la performance de l'acteur. C'est ce qui fascine au Théâtre du Soleil ; le plus souvent, je ne dirai pas tout le temps, mais la plupart du temps, les acteurs tombent juste. Il y a dans leur geste quelque chose qui relève de la nécessité du moment, de l'urgence. Il y a une telle efficacité qu'on se dit que le seul geste que l'acteur pouvait faire à ce moment-là avec tant de justesse est celui qu'il a accompli et que l'on a vu. Cela nous ramène à l'une des lois que vous abordiez tout à l'heure. Vous disiez que l'acteur doit être présent.

A. MNOUCHKINE : Attention, je n'ai pas dit « être présent », mais être au présent. L'acte théâtral se passe dans l'instant et, une fois que c'est passé, autre chose se passe.

J. FÉRAL : Un des concepts empruntés à l'Orient dont on parle beaucoup aujourd'hui et que des gens comme Eugenio Barba utilisent dans leur travail avec l'acteur est celui de *présence* de l'acteur. C'est une notion très difficile à cerner, mais il est vrai que, en tant que spectatrice, je peux identifier un acteur qui a de la présence par rapport à un acteur qui n'en a pas. Le corps de cet acteur est présent sur scène, mais on ne le voit pas, on ne voit que son manque. Il est en creux. Utilisez-vous cette notion de présence ? Vous paraît-elle correspondre à quelque chose ?

A. MNOUCHKINE : La présence est en effet quelque chose que l'on constate, mais je n'ai jamais travaillé avec cette notion. Je ne saurais pas comment dire à un acteur d'être présent. Par contre, ce que je sais, ce que j'essaye de faire avec l'acteur, c'est qu'il soit au présent, dans son action, dans son émotion, dans son état et dans la versatilité de la vie aussi. Ce sont des leçons que donne Shakespeare. On sent avec lui qu'on peut commencer un vers dans une colère assassine, avoir un instant l'oubli de cette colère pour n'être que joyeux de quelque chose qui est dans le texte, pour retomber dans une atroce envie de vengeance, et tout cela en deux vers, c'est-à-dire en quelques secondes. Donc le présent est hyper-présent. C'est un présent à la seconde. Quant au concept même de présence de l'acteur, là... Il y a des acteurs qui sont présents et d'autres moins. Un bon acteur est présent. Ça va avec le don. Il n'y a pas de mauvais acteur qui ait de la présence, ou alors il s'agit d'une mauvaise présence. La présence progresse avec la capacité de nudité d'un acteur.

Muscler son imagination

J. FÉRAL : Comment aidez-vous l'acteur à être au présent ? Adoptez-vous une technique ? Votre méthode est-elle une forme d'écoute ?

A. MNOUCHKINE : Je crois qu'il n'y a pas de techniques. Il y a probablement des méthodes, et je pense que chaque metteur en scène en a une, peut-être inconsciente. J'en ai une, sans doute, mais je ne la connais pas. Le dernier mot que vous avez dit est très important : c'est l'« écoute ». Je crois que je sais bien faire ça. Je ne dirai même pas je sais, mais j'aime, j'aime écouter et j'aime regarder les acteurs. J'aime ça de façon passionnelle. C'est déjà une façon de les aider. Ils savent que je ne me lasse pas de les écouter, de les regarder. Mais comment je les aide, je n'en sais rien.

J. FÉRAL : Vous les dirigez, vous les stimulez. Vous avez dit un jour : « Il faut muscler l'imagination de l'acteur. » C'est une forme d'aide, cette nourriture que vous apportez à son imaginaire.

A. MNOUCHKINE : Je revendique tout à fait l'expression « muscler ». Quand je travaille avec de tout jeunes comédiens, en stage par exemple, c'est l'une des premières questions que je leur pose. Je leur demande quel est, à leur avis, le muscle le plus important du comédien. Évidemment personne ne pense à ça, alors je leur dis : « C'est l'imagination. » Et ça se muscle, ça se travaille ; c'est comme un mollet.

J. FÉRAL : Par quel biais ?

A. MNOUCHKINE : Par la sincérité. Par les émotions. Par le jeu, vraiment par le jeu. Pas par le souvenir, ça je n'y crois pas. Il faut petit à petit arriver à avoir des visions, à être visionnaire, à voir ce dont ils parlent, à voir où ils vont, où ils sont, à voir le ciel au-dessus d'eux, la pluie, à recevoir l'émotion de l'autre, à y croire. On est en train de parler très sérieusement et très gravement des théories du théâtre, mais enfin la théorie essentielle, c'est qu'il faut y croire : croire à ce qu'on joue, à ce qu'on est, à ce qu'on incarne, et croire à ce que l'autre incarne, croire à son trouble, à sa force, à sa colère, à sa joie, à sa sensualité, à son amour, à sa haine, à ce que vous voulez... mais il faut y croire. Et souvent, la mésinterprétation qui est faite de Brecht, c'est qu'on a cru comprendre que Brecht disait qu'il ne fallait pas y croire. Brecht n'a jamais dit cela. Il a dit qu'il ne faut pas tromper. Je crois qu'il y a quelque chose dans le travail de l'acteur qui fait que ce dernier doit non pas retomber en enfance, mais entrer en enfance, se dépouiller des images toutes faites qui sont le contraire de l'imagination. Ces images toutes faites sont des clichés, des béquilles, et c'est là où il n'y a pas d'émotion.

J. FÉRAL : Mais cette imagination doit se nourrir quelque part. Il ne suffit pas que l'acteur se dise : « Je vais y croire » pour y croire. Il faut encore qu'il ait des points d'appui pour l'aider à croire.

A. MNOUCHKINE : Il faut déjà qu'il ait une vraie situation ; je ne dirai même pas un prétexte puisqu'on sait que c'est possible en improvisation, mais il faut qu'il y ait une situation théâtrale et l'ambition de créer un personnage. Il faut qu'il y ait de l'invention, de la découverte.

Fuir le quotidien

J. FÉRAL : Ce travail sur le personnage se fait seul ? en groupe ? par des discussions ?

A. MNOUCHKINE : Rien ne se fait jamais seul. Le travail se fait d'emblée par le jeu. Pour nous, il n'y a jamais, jamais de travail à la table. On lit la pièce une fois, et le lendemain on est déjà sur le tapis. Les acteurs peuvent décider d'essayer tous les personnages qu'ils veulent pendant plusieurs semaines, plusieurs mois. Ils ont de vieux bouts de costumes à leur disposition pour se déguiser et ils commencent. Et on joue tout de suite. Il faut du théâtre le premier jour.

J. FÉRAL : Certains ancrages s'opèrent-ils dès le début ? Les acteurs gardent-ils la mémoire de ce qu'ils ont joué pour que les gestes, les attitudes, les situations trouvés en cours d'improvisation soient maintenus au cours des répétitions ou est-ce simplement une période d'exploration?

A. MNOUCHKINE: Il y a une période d'exploration, mais les bonnes choses restent quand elles sont vraiment bonnes, quand tout le monde comprend, il y a là une évidence. C'est ce que vous disiez sur la justesse du geste, l'évidence du geste. Ce n'est pas le geste qui restera, car les choses se fixent beaucoup plus tard, mais on saura que ce personnage-là a ce genre de geste, qu'il est un peu comme ça. Puis on découvrira autre chose. Parce que la loi qui nous paraît la plus importante, c'est de bien se rappeler que tous les personnages, tous, ont une âme complète. On se dit aussi, et ça c'est un peu dogmatique, que chaque personnage d'une pièce contient tous les autres. Il y a un peu du Prince dans Falstaff, un peu du père dans le fils, un peu de la fiancée dans le fiancé, un peu de la fiancée dans la nourrice, un peu de la nourrice dans Juliette... Tout le monde est complet. Parce qu'autrement on tombe dans un travers qui nous est parfois arrivé. Il y a des moments où je me suis rendu compte que le concept de travail sur le personnage, le concept de personnage même, pouvait être très limitatif et qu'on traduisait souvent un personnage en le limitant au lieu d'en faire, au contraire, quelqu'un d'illimité et qui surprendra toujours. Il y a des personnages typés, bien sûr, mais il faut toujours pouvoir dépasser le type.

J. FÉRAL: Faites-vous une étude psychologique des personnages? Je vous le demande parce que, dans *L'Indiade*, on n'a pas l'impression que les personnages aient une psychologie. On a plutôt l'impression que ce sont des personnages de théâtre, présentés comme des constructions théâtrales avec beaucoup de théâtralité, complexes, mais sans psychologie du quotidien. Ce sont presque des blasons. Ils véhiculent des signes plus que de la psychologie.

A. MNOUCHKINE: On fuit plutôt le quotidien. On ne parle pas de psychologie, mais plutôt de l'âme des personnages. Mais ils ont des émotions, des sensations. Ils ont froid, ils ont faim, ils sont orgueilleux, ils veulent le pouvoir, ils ne le veulent pas, ils sont entêtés. Ils ont chacun leur façon d'être, ils ont chacun leur monde. Boileau a dit: « Le vrai peut quelquefois n'être pas vraisemblable », et le vraisemblable n'est pas forcément vrai. Dans un spectacle historique, on le ressent plus vivement encore. C'est-à-dire que ce qui est arrivé, c'est ça. Ce sont ces personnages-là qui l'ont subi ou orienté ou fait. C'est avec leur « psychologie », comme vous dites, que les événements ont eu lieu. Mais, rien à faire, le théâtre n'est pas chargé de représenter la psychologie, mais les passions, c'est tout autre chose. Il a charge de représenter les mouvements de l'âme, de l'esprit, du monde, de l'histoire. Au Théâtre du Soleil, la psychologie est une critique. Quand je dis aux acteurs : « Attention, c'est psychologique », c'est une critique. Ils savent très bien ce que je veux dire : que ce n'est pas vrai, que c'est lent, compliqué, narcissique. Contrairement à ce qu'on croit, la psychologie ne tire pas vers l'intériorité ; elle tire vers le masque intérieur.

Le théâtre est oriental

J. FÉRAL : Il n'y a pas de tradition du geste en Occident. Beaucoup de metteurs en scène vont chercher cette tradition du côté de l'Orient. Vous-même, au Théâtre du Soleil, vous avez trouvé une inspiration du côté des théâtres asiatiques. Qu'allez-vous y chercher?

A. MNOUCHKINE : Les théories orientales ont marqué tous les gens du théâtre. Elles ont marqué Artaud, Brecht et tous les autres parce que l'Orient est le berceau du théâtre. On va donc y chercher le théâtre. Artaud disait : « Le théâtre est oriental. » Cette réflexion va très loin. Artaud ne prétend pas qu'il y a des théories orientales intéressantes pour le théâtre, il affirme que « le théâtre est oriental ». Et je pense qu'Artaud a raison. Donc, je dirai que l'acteur va tout chercher en Orient. À la fois le mythe et la réalité, à la fois l'intériorité et l'extériorisation, cette fameuse autopsie du cœur par le corps. On va y chercher aussi le non-réalisme, la théâtralité. L'Occident n'a donné naissance qu'à la Commedia dell'arte — mais celle-ci vient d'Asie — et qu'à un certain type de réalisme auquel échappent les grands acteurs. C'est vrai qu'un grand acteur, même quand il est dans un théâtre réaliste, réussit, on ne sait pas très bien comment, à ne pas être réaliste, lui. Mais c'est difficile.

J. FÉRAL : Au fond, le théâtre a besoin de traditions.

A. MNOUCHKINE : Il a besoin de sources et de mémoire. Il a besoin de se labourer pour faire affleurer toujours les profondeurs et les origines. On peut difficilement dire qu'on a besoin de traditions. On les a. Les lignées existent et elles nous appartiennent tout à fait, même au-delà des frontières.

J. FÉRAL : Comment choisissez-vous vos acteurs ?

A. MNOUCHKINE : Je fais face à beaucoup de jeunes acteurs qui veulent entrer au Soleil. Alors il y a plusieurs tamis. Le stage est l'un de ces tamis, mais ce n'est pas le seul parce que je ne le fais pas dans cette optique-là. Je ne sais pas comment je choisis les acteurs. Je choisis des gens qui me touchent d'abord. Des gens qui me touchent humainement avant de me toucher artistiquement. Des gens qui m'émeuvent. J'aime ceux dont je crois pressentir la force, l'innocence, la fantaisie, la gaieté, l'exigence aussi.

J. FÉRAL : Il vous arrive de vous tromper ?

A. MNOUCHKINE : Oui, mais pas très, très souvent ; mes erreurs sont graves, cependant, parce que, dans un groupe, c'est grave de se tromper. Ça m'est arrivé. Quand je m'aperçois suffisamment vite d'une erreur, ce n'est pas trop grave, ça se règle très vite. Mais quand l'oiseau a fait son nid, c'est plus grave. On a connu des moments de crise. Toutefois, en vingt-quatre ans, mes erreurs majeures n'ont, à mon sens, pas dépassé les doigts d'une main. Il y a eu bon nombre de petites erreurs, mais mineures. Il y a des gens dont la place effectivement n'était pas au Soleil ; mais ceux qui ont tenté d'y faire du mal, et qui en ont fait, sont vraiment rares.

J. FÉRAL : Vous avez dit que le devoir de tout metteur en scène est de faire des ateliers pour les acteurs. Est-ce parce que la formation est insuffisante ?

A. MNOUCHKINE : Oui, il existe une formation, mais elle est insuffisante quand on voit la demande réelle. Il y a une ou deux bonnes écoles et elles prennent de trente à quarante élèves par an. Et puis même les élèves qui sont passés dans les écoles ont besoin de continuer à travailler. Quand ils ne jouent pas, ils se sclérosent.

On n'invente plus de théories du jeu

J. FÉRAL : Pourquoi ne pas mettre par écrit vos théories du jeu ?

A. MNOUCHKINE : D'abord parce que je ne suis pas dans l'écriture, ensuite parce que, sincèrement, je crois que sur le jeu tout a été dit d'une façon extraordinaire. Jean-Jacques Lemêtre, notre musicien au Théâtre du Soleil, disait à quelqu'un qui lui demandait s'il avait inventé des instruments : « On n'invente plus des instruments ; on en transforme, on en redécouvre, mais on n'en invente plus. Ils ont tous été inventés. » Je dirais de façon similaire qu'on n'invente plus de théories du jeu. Le problème, c'est que des théories du jeu existent, mais qu'elles sont ensevelies au fur et à mesure qu'elles sont énoncées. Que les jeunes élèves lisent donc Zeami, Artaud, Copeau, Dullin, Jouvet, Brecht aussi… Il y a tout là-dedans. C'est tout ce que je peux leur dire. Et qu'ils fassent du théâtre. Il n'y a pas à dire plus.

Ariane Mnouchkine, Nirupama Nityanandan, Josette Féral.

Photo tirée d'une bande vidéo de la Rencontre publique du Soleil avec les écoles de formation (chapitre 4). Service de l'audiovisuel de l'UQAM.

Duccio Bellugi, Brontis Jodorowski, Simon Abkarian, Ariane Mnouchkine, Nirupama Nityanandan, Juliana Carneiro da Cunha, Josette Féral (debout).

Photo tirée d'une bande vidéo de la Rencontre publique du Soleil avec les écoles de formation (chapitre 4). Service de l'audiovisuel de l'UQAM.

Rencontre publique du Soleil avec les écoles de formation [1] : une troupe commence par un rêve

A. MNOUCHKINE : J'aimerais quand même présenter, avant qu'on commence le débat, les comédiens du Théâtre du Soleil qui sont à la table à côté de moi et dans la salle. Ils devront partir à quatre heures parce qu'ils vont se préparer. Pas parce qu'ils en auront marre [rires], mais parce qu'il faut qu'ils aillent au travail. Autour de cette table, il y a donc Duccio Bellugi, Brontis Jodorowski, Simon Abkarian, Nirupama Nityanandan et Juliana Carneiro da Cunha. Ce sont les protagonistes. Il manque Catherine Schaub, la coryphée, qui se repose.

JEAN-MICHEL LAMOTHE
Département de
théâtre de l'UQAM : Lors de l'entrevue que vous avez accordée jeudi dernier à l'aréna Maurice-Richard [2], vous avez utilisé une très belle métaphore pour décrire le rapport de l'artisan de théâtre à l'œuvre qu'il entreprend de réaliser. Vous avez comparé l'œuvre à une montagne qu'il faut gravir et non contourner. Selon vous, quelles sont les qualités essentielles qu'un acteur doit posséder dans son bagage pour parvenir à gravir cette montagne le plus haut possible ? Et ces qualités sont-elles innées ou peut-on les acquérir par le métier ?

A. MNOUCHKINE : Je vais commencer par la fin. Est-ce que ces qualités sont innées ou peuvent-elles s'acquérir ? Je pense, évidemment, qu'il y a du don. Il y a des gens qui sont doués pour ça, d'autres qui sont doués pour autre chose. Il ne faut pas se tromper de vocation. Je crois au talent. Mais évidemment un don non cultivé, un don sans travail, c'est presque la pire des choses. Je crois donc qu'il y a beaucoup de choses qui s'acquièrent.

---

1. Cette rencontre avec Ariane Mnouchkine a eu lieu à l'Université du Québec à Montréal, le 6 novembre 1992. Elle a été organisée par le Département de théâtre avec l'aide du Festival de théâtre des Amériques lors de la présentation du cycle des *Atrides* à Montréal. À cette rencontre, étaient venus Ariane Mnouchkine et près d'une quinzaine d'acteurs du Théâtre du Soleil.
2. Où était présentée la pièce *Les Atrides*.

Mais nier le fait que certains acteurs sont faits pour le théâtre, c'est ne pas vouloir voir la vérité.

Maintenant, qu'est-ce qu'un comédien doit avoir dans son bagage pour gravir la montagne ? Du courage. [Rires.] Énormément de courage, de patience, et le besoin de hauteur peut-être. Et quand je parle du besoin de hauteur, je ne veux pas dire évidemment le besoin de célébrité ou de gloire. Un comédien ou une comédienne ne graviront une montagne que s'ils ont besoin de poésie, de grandeur, de dépassement, d'humain finalement. Parce que le propre de l'être humain, c'est peut-être le besoin de dépassement. Je sais que ce genre de discours n'est pas très à la mode. [Rires.] Donc, il faut de bons mollets, de bons mollets du corps évidemment. C'est-à-dire un corps le plus libre possible, le plus entraîné possible, mais aussi de bons mollets, de l'imagination, c'est-à-dire une imagination aussi libre et entraînée que possible.

Nous travaillons à laisser passer l'image

CHANTAL COLLIN
École nationale de
théâtre du Canada : Si le muscle le plus important du comédien, justement, c'est l'imagination ; puisque ça se travaille, puisque ça se muscle comme un mollet, est-ce que le metteur en scène peut aider à stimuler l'imagination de l'acteur ? Si oui, comment vous y prenez-vous ?

A. MNOUCHKINE : C'est probablement la partie essentielle du métier de metteur en scène que de faire place à l'imagination de l'acteur. Il faut lui ouvrir le plus de portes possible et peut-être lui donner le plus de nourriture possible. Alors, comment je m'y prends ? Je vous avouerai que ça m'est toujours très difficile de définir ce que je fais parce que je ne le sais pas très bien et que ça dépend des moments. Avec les comédiens, on échange beaucoup d'images. Ils me donnent des images par leurs actions, par leurs accomplissements sur le tapis de répétition. Moi, je leur renvoie des images aussi. Je leur propose des mondes. Et si ça ne marche pas, si ça ne donne rien, alors j'en propose d'autres. Et puis parfois un acteur me donne quelque chose et je l'enfourche. Alors on essaie de galoper tous les deux.

Votre question est une bonne question dans la mesure où elle souligne qu'il faut arriver à toucher les imaginations, ce qui ne veut pas dire qu'il faut simplement stimuler la spontanéité anarchique de chacun. Parfois quand je vois ce jeu de boules sur la glace[3] où il y a toujours un petit monsieur qui balaie devant les joueurs pour que la boule passe [rires], je me dis que notre travail est un peu pareil, que nous travaillons à laisser passer l'image. Laissez passer ! Laissez passer ! Il y a une image ! Il y a une image ! Laissez passer ! [Rires.]

CHARLES LAFORTUNE
Conservatoire d'art dramatique de Montréal : Chez nous, on a souvent une certaine manière de concevoir les spectacles : le metteur en scène arrive, par exemple, et dit : « On monte telle pièce de telle façon. » Les comédiens acceptent et donnent au metteur en scène ce qu'il demande. J'aimerais donc savoir concrètement si c'est vous qui orchestrez les choses au Théâtre du Soleil ? Avez-vous une image très claire de votre spectacle dès le début ou se construit-elle pendant le travail ? Avez-vous un droit de veto ? [Rires.] Comment est-ce que vous travaillez concrètement ?

A. MNOUCHKINE : Quand je fais une proposition de spectacle à la réunion des comédiens et des techniciens du Théâtre du Soleil, je n'ai pas d'idée du tout. J'ai un battement de cœur, un trouble, une espèce d'amour pour l'œuvre ou pour l'ensemble d'œuvres ou de thèmes dont je parle aux comédiens. Parfois, pour des pièces qui ont été ensuite écrites par Hélène Cixous, je ne les avais même pas lues. Quand je les ai proposées aux comédiens, j'avais juste le thème.

Il y a donc une espèce de coup de foudre. C'est comme un continent à découvrir. Il y a des gens qui se sont précipités sur les mers en se disant qu'ils allaient découvrir un continent et puis ils n'ont pas découvert l'Inde, ils ont découvert l'Amérique. J'ai l'impression que, quand on part ainsi sur une œuvre, on part à l'aventure. Mais le continent qu'on croit découvrir n'est pas celui où on arrive.

3. Il s'agit du curling.

CHARLES LAFORTUNE:

Mais quand on découvre l'Amérique, quand on arrive au rivage, est-ce que le spectacle pour vous est fini ? Ou bien est-ce que vous continuez à travailler l'ensemble ?

A. MNOUCHKINE: Ça dépend. Comme nous nous accordons le privilège, le luxe de travailler longtemps, on sent à un moment donné que le spectacle n'est pas encore tout à fait fini, mais que maintenant il faut le public pour qu'il se finisse.

Les cas sont différents. Par exemple, il y a des spectacles qu'on continue de travailler parce qu'il nous a manqué une ou deux semaines pour les terminer malgré le temps que nous nous donnons. C'est ce que nous avons fait par exemple sur les trois premiers spectacles des *Atrides* (y compris *Iphigénie*) que nous avons joués maintenant plus de cent cinquante fois. On continue alors à essayer de les approfondir, mais pas à les changer, ou alors on change un tout petit peu. C'est comme si un spectacle avait pris sa chair, sa nature, si bien que changer un élément, c'est presque faire une opération et on fait en général pire.

Même si on a toujours des insatisfactions, il y a un moment où il est trop tard et où il vaut mieux accepter les imperfections qui existent. Il y en a dans tous les spectacles, même les plus aboutis. Elles existent dans toutes les pièces, même dans les plus grands chefs-d'œuvre. Après tout, Shakespeare et Eschyle ont accepté de laisser dans leurs œuvres des défauts. Alors, si eux ont osé accepter quelques défauts, nous aussi on peut bien en accepter.

Le théâtre, c'est ici, maintenant, vraiment, rapidement

DIANE DUBEAU
Département de
théâtre de l'UQAM: J'aurais aimé vous entendre parler de l'état de présence, de l'« être au présent ». Je crois que vous faites une différence entre ces deux notions.

Quelle distinction faites-vous et peut-on dire que la présence se travaille ?

A. MNOUCHKINE: Je crois que oui. Quand, dans le travail, je dis qu'on n'est pas assez *au présent*, ça n'a rien à voir avec ce que vous appelez la « présence ». En France, on dit: « Tel comédien a de la présence», ou alors: «Tel comédien n'en a pas.» S'il n'a pas de présence, c'est que ce n'est pas un comédien. [Rires.] C'est bien embêtant un comédien qui n'a pas de présence. C'est une absence, en fait. [Rires.] Un comédien qui agit, c'est-à-dire qui joue et qui est au présent, a de la présence évidemment. Ce n'est pas lui qui a de la présence d'ailleurs. C'est le personnage qui a de la présence à ce moment-là.

C'est pourquoi je n'aime pas beaucoup cette expression bien parisienne, qui est de dire: «Tel comédien a une présence formidable.» S'il en a trop, ce n'est pas bien non plus parce qu'alors que fait-on de la présence d'Agamemnon? Donc, parler de la présence, c'est déjà un jargon professionnel, corporatif, qui n'est pas forcément juste.

Ce que nous disons, c'est ceci: le théâtre, c'est ici, maintenant, vraiment, rapidement. Ce sont de petites lois que l'on se donne. Le théâtre, c'est ici, c'est-à-dire que si c'est à Vérone, le matin du mariage de X, c'est là, ce n'est pas ailleurs, ce n'est pas hier.

Les jeunes comédiens qui ont mal lu Stanislavski ou à qui on ne l'a peut-être pas toujours très bien enseigné, se posent tellement de questions que, lorsqu'ils rentrent sur scène, ils ont tellement de choses au passé qu'ils en oublient de jouer le présent. Être au présent, c'est être au présent de chaque mot, ne pas être déjà dans le vers suivant, ne pas déjà être dans la réplique suivante puisque la réplique suivante, en fait, n'est pas encore écrite.

À un moment donné, on s'était donné un petit exercice: on s'était dit qu'on travaillerait toute pièce comme si elle avait été écrite pour nous, c'est-à-dire dans l'inconnu, la découverte absolue.

Pour ne pas être déjà dans ce qu'on va dire tout à l'heure ou dans ce qu'on va nous dire, puisqu'on ne sait pas, il va falloir *écouter*.

Donc c'est ça, être au présent. C'est notre méthode. On se rend compte que, dans les grands textes anciens ou modernes, si on n'est pas présent, on reste global. On se prive donc d'une infinité d'émotions que, nous, nous appelons des *états*.

Si on lit quinze vers du chœur d'Eschyle ou quinze vers de Shakespeare, on s'aperçoit que c'est comme un ciel d'orage, c'est-à-dire qu'il y a un moment où il y a le désespoir et puis, tout d'un coup, il y a l'oubli de ce désespoir pour un immense espoir et puis, tout d'un coup, on passe à une colère assassine et puis c'est de nouveau le désespoir. Il faut être absolument *au présent* pour pouvoir tout jouer. On ne joue pas deux émotions à la fois ; on les joue parfois extrêmement rapidement, mais l'une après l'autre. C'est cela le présent.

DIANE DUBEAU : Bannissons donc le mot « présence » et disons « être au présent ». Ma question s'adresse aux comédiens : tous les soirs, vous jouez les spectacles et, ces spectacles, vous les jouez très longtemps. Est-ce que vous avez des techniques particulières pour vous concentrer avant le spectacle ? Comment appliquez-vous cet « être au présent » ?

SIMON ABKARIAN : À partir du moment où on se dit : « Je suis au présent », ça veut dire : « Je ne suis pas en train de jouer » ! Bien sûr, il y a une chose qu'on sait, c'est qu'on n'est pas là pour de vrai. C'est ce qu'a dit Ariane : si on sait qu'on va prendre une gifle sur scène et qu'on est déjà en train de reculer, on n'est pas au présent. [Rires.]

Chaque personnage contient tous les autres

ANNICK CHARLEBOIS
Option théâtre
du collège
Lionel-Groulx : Vous faites très peu de travail de table, très peu de lecture des pièces. Vous tentez d'éviter la psychologie, le réalisme. Comment fait-on pour aborder un personnage si on évite la psychologie réaliste et la lecture, donc l'analyse du texte ? Comment élaborez-vous les personnages ?

A. MNOUCHKINE : Ce n'est pas parce qu'on ne fait pas quinze jours de travail à la table que c'est une loi. Ce fonctionnement est vraiment très particulier au Théâtre du Soleil. Quand on dit : « Il faut être au présent », j'ai vraiment l'impression que c'est une loi assez fondamentale du théâtre, mais quand on dit : « Au Théâtre du Soleil, on ne fait pas quinze jours de travail à la table », ce n'est pas une loi. Pourquoi ne le fait-on pas ? Parce que ça m'ennuie. Le travail à la table m'ennuie. Et puis je ne suis pas sûre que le metteur en scène ou le dramaturge doive se transformer pendant quinze jours en professeur de civilisation théâtrale. Il y a des gens qui font cela très bien. De plus, les acteurs ont très vite envie de se lever, puis de jouer. Ils ont envie de jouer. Ce n'est quand même pas parce qu'on renonce au travail à la table qu'on n'essaie pas de comprendre ce qu'on est en train de faire. Mais on essaie de le comprendre sur le plancher, sur le tapis.

La deuxième question porte sur la façon dont nous abordons un personnage sans psychologie ? Si je vous demandais ce qu'il y a comme indication psychologique dans le texte pour définir Agamemnon, je crois que je vous embarrasserais. C'est-à-dire que lorsqu'on essaie d'aborder Agamemnon, Iphigénie ou Clytemnestre, en cherchant la psychologie des personnages, on est obligé de l'inventer de bout en bout, cette psychologie. Parce qu'il n'y a que de la passion dans le texte. Il n'y a que des objectifs et de la passion. Cela est vrai même d'Euripide, dont les professeurs disent que c'est un auteur psychologique. Finalement, à part le personnage d'Achille, la seule notation psychologique qu'on peut avoir sur un personnage, c'est quand Clytemnestre dit d'Agamemnon : « C'est un homme lâche, il a trop peur de l'armée. » Si on avait uniquement travaillé Agamemnon sur le « c'est un homme lâche », on en serait arrivés à un drôle de résultat, quand même. [Rires.] Pourtant, c'est parfaitement vrai. Agamemnon a ce type de lâcheté-là, il a la lâcheté des héros, il a la lâcheté des chefs guerriers, c'est-à-dire qu'il a peur de perdre sa popularité. Mais est-ce que c'est vraiment psychologique ?

Et puis est-ce que ce sont des personnages ? Ça fait maintenant depuis un petit moment, depuis *L'Indiade* en fait, que je dis parfois le mot « personnage » et chaque fois, je me reprends. Je dis : « Non, oubliez le mot "personnage". » Parce que finalement, dès qu'on utilise le mot « personnage », on est un tout petit peu raciste, c'est-à-dire qu'on est limitatif. On dit : un personnage, c'est celui qui n'est pas ceci ou cela. Mais on ne sait pas. Et du coup, on rétrécit.

J'ai l'impression que, dans une grande œuvre, chaque personnage contient presque tous les autres. Autrement, on a des gens qui ne sont plus que des caricatures, ou plus exactement qui sont limités.

JULIANA CARNEIRO DA CUNHA : Dans ce processus de création des personnages, le maquillage et l'habillage sont importants. Ils participent à la transformation si bien que, avant de commencer à travailler, on est déjà transformé.

ANNICK CHARLEBOIS : Est-ce que ça serait juste de dire que vous travaillez les personnages de l'extérieur vers l'intérieur ?

A. MNOUCHKINE : Non, non, ce n'est pas ça.

JULIANA CARNEIRO DA CUNHA : Non, parce que le personnage que l'on crée avec le costume correspond aussi à une image, à une imagination. On se maquille d'après une image, une vision qu'on a. Et ceci est intérieur.

A. MNOUCHKINE : Je ne pense pas qu'on puisse dire qu'un costume travaillé, comme à mon sens il devrait l'être, c'est-à-dire cherché comme on cherche tout le reste, soit extérieur. Les comédiens cherchent leurs costumes comme ils cherchent, comme nous cherchons, tout le reste. Je ne pense donc pas que le costume soit l'extérieur. Il fait partie de l'intérieur.

Le costume fait partie de l'extérieur quand il est livré deux jours avant la première d'après une maquette qui a été décidée trois mois avant la première répétition. Là, oui ! le costume fait partie de l'extérieur.

Mais quand le costume s'est élaboré avec de vieux bouts de tissus, comme quand un enfant se déguise petit à petit avec des erreurs, alors il devient intérieur.

Au début, les acteurs ont tous l'air de rutabagas, c'est épouvantable. On a des photos des débuts des répétitions. Chaque fois qu'on les voit, on en rit. Mais au début, on n'en riait pas du tout. En fait, le costume n'est ni psychologique ni extérieur.

Ce que disait Juliana est tout à fait vrai. C'est comme une invocation. C'est une invocation pour essayer de faire en sorte que le personnage vienne, habite, envahisse. À un certain moment, tous les moyens sont bons. Il y a des moments où j'essaie tout, où les comédiens essaient tout. Ce sont les moments où on a un peu perdu la boule. Et c'est normal qu'on perde la boule devant de grandes œuvres.

Photo : Martine Franck (Magnum)

Ariane Mnouchkine avec un comédien de la production *Henry III* (Shakespeare).

« Je ne pense [...] pas qu'un costume [...] soit extérieur. Il fait partie de l'intérieur. [...] C'est une invocation pour essayer de faire en sorte que le personnage vienne, habite, envahisse. » (p. 62)

Et on cherche partout. Au bout d'un moment, c'est très curieux, on trouve, et on se dit: « Mais on n'avait pas fait cela la semaine dernière. » Oui, on l'avait fait, mais pas tout à fait comme ça. À cause de ces énormes divagations, il est arrivé la petite chose en moins, la petite chose qui fait que, tout d'un coup, il y a une évidence, et ce n'est ni psychologique ni extérieur. C'est comme ça.

DOMINIQUE DUPIRE
Département de
théâtre de l'UQAM: J'ai beaucoup aimé les costumes dans vos représentations. Je voudrais savoir quelle est votre démarche pour arriver au costume final. Y a-t-il beaucoup d'éléments qui sont empruntés directement aux peuples qui ont entouré la Grèce? Est-ce que ce sont des éléments authentiques de costumes, comme les ceintures par exemple, ou bien est-ce une reconstitution à partir de l'atelier de costumes? Quelle est la part de création du comédien dans son costume?

A. MNOUCHKINE: Énorme. La part de création des comédiens est énorme, mais l'aboutissement est évidemment le résultat du travail des deux costumières. Ils travaillent vraiment ensemble. Et toutes les petites choses qui sont sur le costume — puisque les costumes sont à la fois tous semblables et tous différents —, c'est-à-dire leur ceinture, leur tablier, ce sont les comédiens qui les font. Ils élaborent le costume.

Il y a des zones d'influence, bien sûr. J'avais demandé justement qu'il n'y ait pas de grec, parce qu'on ne sait pas comment c'était en Grèce et que je ne voulais pas me retrouver avec des draps de lit. Donc les zones d'influence sont turques, perses, indiennes... mais pas grecques.

DOMINIQUE DUPIRE:

J'ai une question très technique: est-ce que vous utilisez des tissus synthétiques ou uniquement des matériaux naturels?

A. MNOUCHKINE: Très rarement. Ici, il n'y a pas de synthétique. Dans les Shakespeare, il y en avait un petit peu.

Je ne peux pas vous décrire ma flamme quand même.

SERGE OUAKNINE
Département de
théâtre de l'UQAM : Il y a une quinzaine d'années, Ariane, vous avez cité un poète que j'aime beaucoup, qui s'appelle Henri Michaux. Je me permettrai de citer ces quelques lignes après vous. Michaux dit ceci dans *Un barbare en Asie* : « Seuls les Chinois savent ce que c'est qu'une représentation théâtrale. Les Européens depuis longtemps ne représentent plus rien, les Européens présentent tout. Tout est là sur scène, toute chose, rien ne manque, pas même la vue qu'on a de la fenêtre. Les Chinois, au contraire, placent ce qui va signifier la plaine, les arbres, l'échelle à mesure qu'on en a besoin. » J'introduis ceci pour poser ma question sur la formation théâtrale. Tous les metteurs en scène du XXe siècle intéressants, tous les pédagogues du théâtre du XXe siècle, d'une manière incontournable, sont passés par le chemin de l'Asie, du théâtre d'Asie, que ce soit Eisenstein, Meyerhold, Brecht, Artaud, Claudel, Grotowski, Barba, Brook et vous-même. Tous. Ce qui voudrait dire qu'il n'y a de formation théâtrale sérieuse qu'en Asie, et que les Occidentaux ne savent pas ce qu'est le théâtre, du moins du point de vue de la formation de l'acteur.

Donc, ma première question est la suivante : À partir du moment où vous intégrez des techniques orientales de formation d'acteurs, comme le Kathakali, les techniques de théâtre chinois, de l'Opéra de Pékin, du théâtre Nô, vous êtes obligée de casser la tradition occidentale — et particulièrement en France où il y a une tradition du texte —, de casser le sens de la mimésis, de la mise en scène, de la représentation. Peut-on introduire ces techniques asiatiques dans les institutions, dans les théâtres, sans casser les institutions : conservatoires, écoles, universités ?

Ma deuxième question s'adresse autant à vous qu'à vos collaborateurs. J'ai observé que les acteurs européens et nord-américains peuvent intégrer ces techniques gestuelles, ce travail du corps, mais ils ne peuvent pas intégrer le travail de la voix. Pourquoi ?

Quelle tradition avons-nous à opposer à l'Orient ?

A. MNOUCHKINE : Je n'aurais pas la prétention de dire qu'au Théâtre du Soleil nous utilisons les techniques des théâtres orientaux tout simplement parce que, en Orient, les acteurs commencent à six ans et parce qu'il y a un vrai savoir millénaire qui va des exercices du globe oculaire jusqu'aux doigts de pied en passant par des massages. Il y a tout ce que, nous, nous ne faisons pas.

Nous ne le faisons pas parce qu'on n'en a pas les capacités. Moi, je n'ai pas cette science-là. J'aime mieux encore utiliser le mot que vous me soufflez, c'est-à-dire «la route, le chemin». Effectivement, c'est une route que j'essaie de suivre, que nous essayons de suivre parce que je pense que l'art de l'acteur est oriental. Vous avez cité un texte de Michaux, mais on pourrait citer cette phrase d'Artaud qui a dit, lui, sans détour: «Le théâtre est oriental.»

Maintenant, est-ce qu'on peut suivre cette route sans casser les institutions? C'est parce que les institutions résistent si fort à cette route qu'elles risquent d'être cassées par elle. Si ces institutions n'étaient pas si vaniteuses [rires], si aristocratiques — dans le mauvais sens du terme —, c'est-à-dire si sûres d'être la crème de la crème, je pense que si les élèves avaient aussi un petit peu d'humilité, alors ils pourraient très fertilement longer ces routes, les connaître au moins, savoir qu'elles existent, savoir qu'ils peuvent éventuellement les emprunter.

Mais c'est vrai que, chez nous, il y a une résistance de la part des quelques écoles qui existent. Vous vous êtes présentés tous en citant des noms d'écoles déjà si nombreux que, pour moi, c'est merveilleux. En France, il y a peu d'écoles — je parle des écoles publiques —, il y a le Conservatoire, l'École nationale de Strasbourg, La Rue Blanche. Et puis il y a plein d'écoles privées dont on pourrait dire le pire, à part quelques-unes.

Mais quelle tradition avons-nous à opposer à l'Orient, voulez-vous bien me dire? L'Occident a la dramaturgie, c'est vrai. Les théâtres orientaux ont très peu de très grands textes: il y a le Ramayana, il y a, au Japon, le Chikamatseu... L'art théâtral asiatique, c'est l'art de l'acteur, du danseur, du chanteur. Par contre, nous, depuis les Grecs, nous avons un grand nombre de très grandes choses écrites. Donc, nous avons cette tradition de l'écrit, mais cette tradition-là ne s'oppose pas à l'autre. Donc, oui, je pense qu'il y a une résistance ethnocentrique en France.

Un jeune comédien du Théâtre du Soleil m'a dit qu'un jour un ami à lui qui n'aimait pas nos spectacles lui a dit : « Moi, ce que je veux voir c'est une tragédie grecque française. » [Rires.] Il n'a pas tort. Ça dit tout. Ça dit tout ce que ça veut dire. Il voulait une tragédie grecque, mais française. Nous, on lui paraissait donc un peu métèque, quoi.

Quant à la question sur la voix, tout comme pour le corps, je ne parlerai pas de techniques, je parlerai de travail. C'est un chemin imaginaire. Le travail que nous avons fait sur le Kabuki ou le Nô pour les Shakespeare ou sur le Kathakali, c'est un travail, oui, mais c'est aussi un travail imaginaire. Et puis on s'aperçoit que les lois essentielles sont les mêmes entre tous ces théâtres. Et on s'aperçoit qu'un acteur qui possède un masque de Commedia dell'arte peut rencontrer un acteur de Topeng balinais et qu'ils peuvent passer ensemble sur scène sans parler un mot de langue commune. Ils peuvent passer une heure magnifique pour eux et pour le public parce qu'ils peuvent improviser, parce que les lois sont les mêmes.

Vocalement, je crois que j'ai moins bien réussi. J'ai senti une petite critique...

SERGE OUAKNINE : Je veux préciser. J'ai vu à peu près tous vos spectacles depuis 1967. Je peux dire qu'il y a chez vous une éloquence de la construction scénique et du travail du corps admirable, vraiment bouleversante. Mais je ne suis pas toujours convaincu par la densité d'actualisation de la voix sauf dans certains moments où il y a ce côté trouble, où les voix ne sont ni hommes ni femmes, où elles ne sont ni graves ni aiguës, où elles sont doubles. Je veux donc savoir s'il y a un travail qui est fait dans ce sens-là ou si c'est le miracle de l'instant qui fait que les interprètes touchent à quelque chose que les Asiatiques connaissent bien et que les Occidentaux ne connaissent pas ?

Il y a « de l'instant » et il y a une rencontre

A. MNOUCHKINE : Je préférerais répondre un peu plus tard à cette question. Peut-être que quelque chose va nous faire toucher du doigt le cœur du problème. Ce n'est ni un miracle — je crois qu'il y a toujours un miracle, bien sûr, mais il vient après beaucoup de travail — ni un travail technique vocal, mystérieux, dont nous aurions le secret. Non, il y a de l'instant, il y a une rencontre et tout est là. Et je pense que ça ne peut certainement pas avoir lieu tout le temps, tout au long d'un spectacle. On n'est pas encore assez grands, je crois.

RENÉE NOISEUX-GURIK
Option théâtre
du collège
Lionel-Groulx : J'aurais deux questions. L'une est probablement dans la tête de beaucoup de jeunes ici présents. Quels sont vos critères d'admission ? Quelles sont les possibilités d'admission chez vous au Théâtre du Soleil ? L'autre question touche à une préoccupation que des jeunes concepteurs qui sont chez nous ont sûrement aussi et qu'ils ne viendront peut-être pas vous poser. Comment naît un décor chez vous ? Qu'est-ce qui se passe ? Qui décide des grands problèmes face à l'espace, à l'utilisation des choses, de tout l'appareillage technique. Est-ce une démarche de groupe ? Dans le cas des costumes, on a très bien compris que tout ça peut s'arrimer, mais, dans le cas du décor, c'est un peu plus délicat et c'est assez complexe.

A. MNOUCHKINE : Dans le cas du costume, tout commence vraiment par le travail des comédiens. L'entrée de Nathalie et de Marie-Hélène [4] se fait de façon presque hypocrite. C'est-à-dire qu'au début ce sont les comédiens qui vont, qui piochent, qui cherchent, qui inventent, qui font beaucoup de choses. La jonction entre les deux costumières et les comédiens vient au fur et à mesure.

En ce qui concerne le décor, cela se passe différemment ? D'habitude, il y a toujours une proposition qu'on dessine sur le sol. On commence toujours dans la salle de répétition vide, toujours. Et avec Guy-Claude François [5], on se permet tout ce qu'on veut sur le papier : des bassins d'eau, des cascades,... tout ce qu'on veut. Et puis, au fur et à mesure des répétitions, je dis à Guy-Claude : « Tu sais, ça, on n'en a plus besoin

4. Nathalie Thomas et Marie-Hélène Bouvet s'occupent des costumes au Théâtre du Soleil.
5. Guy-Claude François est le décorateur et le scénographe du Théâtre du Soleil depuis *L'âge d'or* (1975).

parce qu'ils l'ont joué. Donc puisqu'ils le jouent, on n'en a plus besoin. »

Avec *Les Atrides*, cela a été un tout petit peu différent. On a commencé sur un plateau vide et, avec Guy-Claude, on s'est dit : « Attendons. » Après deux mois et demi de répétitions, j'ai senti que le chœur, si embryonnaire qu'il fût à ce moment-là, commençait à avoir besoin de quelque chose, mais je ne savais pas encore de quoi. À un moment donné, les comédiens du chœur étaient sur le côté et je me disais : « Oui, mais ils ont besoin de séparation maintenant ; ils ont besoin de pouvoir être séparés. » Alors on a mis des palissades dans la salle de répétition.

J'ai senti que le chœur ne pouvait plus avancer. L'espace devait se préciser. Mais pendant deux mois, deux mois et demi, le tapis vide a tout à fait suffi à notre travail. Puis, tout d'un coup, il y a eu le besoin d'un autre lieu, d'une autre zone. Ça s'est élaboré comme ça.

RENÉE NOISEUX-GURIK :

J'aimerais préciser ma question. Si, dans l'élaboration d'un travail, vous arriviez à une situation où vous sentiez que vos connaissances techniques ou visuelles sont un peu limitées, feriez-vous appel à d'autres personnes de l'extérieur ? Feriez-vous participer des scénographes ?

A. MNOUCHKINE : Mais Guy-Claude François est un très grand scénographe ! Il travaille avec nous depuis le début ou presque. Il est le décorateur-scénographe du Théâtre du Soleil depuis *L'âge d'or*. Même avant, il était le directeur technique. Il ne joue pas dans le spectacle.

RENÉE NOISEUX-GURIK :

J'étais mal informée, parce qu'on m'avait dit que tous les acteurs participaient toujours à l'élaboration complète d'un spectacle.

A. MNOUCHKINE : Au décor, non. Ils participent par leurs besoins. Ils le fabriquent parfois. Et encore ! pour *Les Atrides*, ils étaient tellement surchargés de travail qu'ils n'y ont pas beaucoup participé. Autant je pense que la participation des acteurs aux costumes est énorme et indispensable, autant je crois que leur participation à l'espace dans lequel ils sont est moindre.

Quand ils jouent, je ne vois qu'une seule chose : est-ce qu'ils sont bien dans l'espace ou est-ce qu'ils y sont mal ? Ils peuvent donc signaler qu'il leur faudrait quelque chose là, à un endroit précis.

RENÉE NOISEUX-GURIK :

Donc cette élaboration se fait un peu comme Brecht travaillait avec ses collaborateurs à l'époque, une gestion très lente où tout est réellement intégré.

A. MNOUCHKINE : Oui, mais c'est long. C'est long.

Avoir envie de gravir la montagne

RENÉE NOISEUX-GURIK :

Ma première question, c'était : Que faut-il posséder pour être admis au Théâtre du Soleil ? Quels sont les critères d'accueil ?

A. MNOUCHKINE : Les critères d'accueil ? J'ai beaucoup de mal à répondre à cette question parce que je pense qu'il y a des critères, mais que je ne les connais pas moi-même. Simon dit que c'est une histoire différente pour chacun. Je ne sais pas ce qui fait qu'à certains je dis : « Bien oui, essayons » et puis à d'autres je dis : « Bien non, pas tout de suite, un autre jour. » Peut-être l'émotion, je crois. Il y a des regards qui me touchent et d'autres qui me touchent moins. Il y a des regards qui me font espérer. Ce ne sont peut-être pas encore de très grands comédiens, mais il y a des espoirs. Il y a aussi peut-être l'impression que j'ai qu'ils ont effectivement envie de gravir une montagne. Si quelqu'un a vraiment envie de gravir une montagne, même s'il n'en a pas encore visiblement les moyens, c'est déjà très beau.

Je ne pourrais pas aller plus loin pour vous donner les critères. Très sincèrement, ce n'est pas une fuite, mais ça se passe presque physiquement. Il y a un rapport physique. Il y a quelque chose qui est du domaine de la sensualité, de la confiance, de l'espoir, de la perception poétique. Puis parfois, ça se perd. Quelque chose qui avait paru comme ça touchant, charmant, tout d'un coup disparaît. On dit : « Oh la la ! peut-être que je me suis trompée » et puis non ! ça revient, ou ça ne revient pas. Je ne peux pas dire pourquoi. Mais, en tout cas, ce n'est ni leur curriculum vitæ, comme on dit, ni leur long tableau d'honneurs qui détermine mon choix. On fait aussi des stages, c'est vrai et il arrive qu'il y ait des rencontres qui se font pendant ces stages. Mais je ne peux pas dire que je dirais « oui » à quelqu'un qui aurait forcément fait quelque chose de très éblouissant à un stage. Il y a des gens qui sont entrés au Théâtre du Soleil et qui n'avaient rien fait d'éblouissant au stage.

SERGE DENONCOURT
Option théâtre
du collège
Lionel-Groulx : J'essaie de comprendre qui a droit à quoi chez vous. Par exemple, une question franchement bête, avez-vous des préjugés défavorables envers un premier prix du Conservatoire de Paris qui voudrait travailler chez vous ? [Rires.]

A. MNOUCHKINE : Quand quelqu'un me demande de travailler chez nous, j'ai déjà un préjugé favorable. Je trouve ça toujours flatteur, même si c'est quelqu'un qui n'a jamais fait de théâtre. Quant au premier prix du Conservatoire, je vais vous dire tout de suite : il n'y a jamais eu de premier prix du Conservatoire qui soit venu demander à travailler chez nous. [Rires.]

Je parlais tout à l'heure de la vanité des comédiens, des élèves comédiens de certaines institutions. Un jour, j'ai même eu cette réplique extraordinaire d'un élève de l'École de Strasbourg qui vient nous voir et qui, oh ! chose extraordinaire ! demande à travailler avec nous et à qui je dis : « Tiens ! je fais un stage dans un mois, venez travailler un moment avec nous à ce stage. » Cet élève me répond cette chose extraordinaire : « Mais enfin, j'ai déjà fait l'école ! » [Rires.] Il a fait l'école, donc il sait tout ! Donc, il n'a pas de stage à faire ! Quel rôle, madame Mnouchkine, me donnez-vous ? Rien, mon vieux. Voilà ! Donc, je n'ai aucun préjugé défavorable, aucun.

JEAN-STÉPHANE ROY
Option théâtre
du collège
Lionel-Groulx : J'aimerais savoir quelle est la formation que vous donnez au Théâtre du Soleil ? Sur quoi mettez-vous l'accent ? Quand quelqu'un arrive, il dit : « Madame Mnouchkine, j'ai vu vos spectacles, je vous adore, je veux travailler avec vous. Je ne veux pas "jouer un rôle", je veux travailler. » Nuance. Alors, qu'est-ce que vous faites ? Vous leur dites : « Je fais un stage le mois prochain, venez » ?

A. MNOUCHKINE : Non, je ne dis pas : « Je fais un stage le mois prochain. » Je dis : « Écrivez au Théâtre du Soleil et dites que vous voulez être tenu au courant des stages. » Vous pouvez attendre trois mois, six mois... Le moment venu, on prévient tout le monde ; puis après, il y a des entretiens.

Il y a des entretiens, parce qu'il y a, en général, sept cents ou huit cents demandes. Je ne peux pas prendre tout le monde. Mais je vois les sept ou huit cents personnes. Et puis, sur ces sept cents personnes, j'en prends cent en stage, parfois plus. Et on fait exclusivement du masque.

Je nous vois comme des dinosaures complètement à contre-courant

MARTINE BEAULNE
Metteur en scène
et comédienne : Je voudrais demander aux comédiens pourquoi ils voulaient travailler avec le Théâtre du Soleil, au départ. Et maintenant qu'ils y sont, avec toute l'expérience qu'ils ont acquise, tout le travail de recherche qu'ils ont fait, quels sont leurs questionnements actuels sur le jeu de l'acteur ? Qu'est-ce qu'ils veulent apprendre encore ensemble ? Quelles dimensions veulent-ils explorer ?

A. MNOUCHKINE : On se questionne tout le temps, mais il y a des périodes plus propres au questionnement. C'est le moment où on joue les spectacles depuis un certain temps déjà, où on sait que la fin des représentations approche et qu'il va falloir proposer autre chose. On sait aussi que c'est le moment où certains vont arriver et où d'autres vont partir.

Toute cette mutation se passe toujours à la fin d'une œuvre. Il y a alors un moment d'énormes questionnements. Ce n'est pas toujours agréable. On peut se demander si on a encore la force de progresser. Ces questions sont peut-être narcissiques, mais il faut quand même se les poser.

Je m'interroge, par exemple, sur le temps qu'une troupe comme le Théâtre du Soleil peut tenir face à une situation qui est complètement à contre-courant et je ne parle pas de la situation matérielle. Parfois, je nous vois comme des dinosaures complètement à contre-courant d'une certaine évolution sociale. Je me dis que ça va devenir de plus en plus difficile. Je me demande quels sont les moyens dont on dispose. Ces questions, je me les pose. Mais il y en a d'autres que je ne veux même pas vous dire, parce qu'elles sont trop intimes ou trop angoissées ou qu'elles relèvent trop du domaine de la névrose normale des acteurs et des metteurs en scène. Et puis il y a encore d'autres questions qui doivent ressembler aux questions que se posent sûrement certains enseignants parmi vous, certains auteurs, certains écrivains et certains acteurs, jeunes ou moins jeunes, qui ont envie de hauteur et à qui on prêche le marais et qui se demandent par où grimper.

MARIO LEJEUNE
Option théâtre
du collège
de Saint-Hyacinthe : Je désire vous entendre parler de la formation de l'acteur. J'aimerais savoir ce que vos stages comprennent et en quoi ils aident à la formation du comédien, de l'acteur ?

A. MNOUCHKINE : Non, écoutez, je ne suis pas venue faire l'article sur les stages. On a parlé de ces stages parce que tout le monde me demande ce qu'il faut faire pour suivre des stages. Alors je donne l'adresse. Ce sont des stages. Je pense qu'un metteur en scène doit cela aux acteurs. Voilà. Donc on s'est dit un jour : « Mais après tout, nous avons un instrument de travail. » Il y a tellement de jeunes acteurs qui n'en ont pas que, lorsqu'on peut, on donne un stage gratuit de quinze jours, neuf heures par jour, huit heures par jour, et les jeunes comédiens peuvent venir travailler.

Qu'est-ce qu'ils y apprennent ? Ils y apprennent ce qu'ils sont capables d'apprendre.

De plus, Josette Féral a écrit un article où elle décrit un stage de a jusqu'à z[6]. Elle a assisté à l'un de nos stages et elle en a fait vraiment une description très méticuleuse. Vous n'avez qu'à la lire.

CATHERINE GRAHAM
Université McGill : Ma question porte sur l'ethnocentricité. Je regarde vos spectacles et je regarde le programme. Je regarde les noms et je vous regarde. Je me dis que vous venez de

6. « Un stage au Soleil : une extraordinaire leçon de théâtre », *Les Cahiers de théâtre JEU*, nº 52, septembre 1989, p. 15-22. Repris ici au chapitre 2.

plusieurs cultures différentes. Je me demande comment ça se passe dans la création d'un spectacle. J'ai l'impression que vous devez venir avec différentes traditions de théâtre, avec plusieurs traditions culturelles. Dans *Les Atrides*, j'avais l'impression de voir beaucoup de traditions différentes. Ce que je vous demande au fond est très simple. Comment est-ce que vous travaillez ensemble ? Est-ce que ça se passe juste dans les répétitions ? Est-ce que vous faites des ateliers des fois pour partager vos acquis ? Je m'adresse peut-être plus aux comédiennes et aux comédiens pour savoir comment vous réagissez à ce travail qui me semble très interculturel.

Au fond, est-ce que les comédiens du Soleil viennent avec différentes formations ? Et que faites-vous pour partager le bagage avec lequel vous arrivez ? Est-ce que vous faites des ateliers entre vous ? Est-ce simplement en observant les autres ?

SIMON ABKARIAN : Dans la troupe, il n'y a que Niru qui vienne d'un pays qui a une tradition théâtrale. Elle vient de l'Inde, elle a fait du Baratanatyam. Par contre, il y a différents horizons culturels. Duccio vient d'Italie. Brontis vient du Mexique, son père est juif. Moi, mon père est arménien. Juliana est brésilienne. Ce sont des cultures qui se rencontrent. Au Théâtre du Soleil, il y a des choses qui ressortent, qu'on ne savait pas qu'il y avait, et qu'on se raconte. Les ateliers se passent à table, à la fin d'une répétition, en faisant les imbéciles, et puis on se parle dans une langue, on se répond dans une autre…

Sur scène, il se passe aussi des choses. Par exemple, Niru fait quelque chose, après c'est Duccio qui va le faire et ça lui appartiendra même si ça vient de Niru. Donc oui, il y a des échanges, mais on ne dit pas : « Tiens de dix-sept heures à dix-huit heures on fait des échanges culturels. » [Rires.] Par exemple, le matin quand on vient prendre le café à neuf heures, tout d'un coup, Niru boit son café. Je parle beaucoup de Niru parce qu'en ce moment elle dit : « Tiens, ce matin je mangerais bien du riz comme on mange chez moi le matin. »

Échanger, c'est vouloir recevoir

A. MNOUCHKINE : Ce que dit Simon, et qui est tout à fait vrai, c'est que Niru dit effectivement : « Ah ! il n'y a pas de riz » et, au bout d'un moment, moi aussi j'ai envie de riz. C'est ce qui se passe. Ça vient de la perméabilité, des échanges. Après tout, les échanges, c'est vouloir recevoir. C'est recevoir. Si on a un gros imperméable bien fermé, bien français, il n'y aura pas d'échange, même s'il y a dix ateliers par semaine !

Il y a une façon d'être, d'épouser l'autre... Il y a une façon d'entendre tout d'un coup les Brésiliens ou les Portugais de la compagnie parler ensemble. Il y a, bien sûr, un amour pour ça. Ça vient aussi de l'amour du jeu. Ce n'est pas du travail. C'est ce que voulait dire Simon. Ce n'est pas du travail, c'est de la vie. C'est pour ça que c'est difficile d'y répondre d'une certaine façon.

SIMON ABKARIAN : Parfois on me dit : « Quelle école tu as fait ? Qu'est-ce que tu as fait au Théâtre du Soleil ? » Un jour, un journaliste qui était venu voir le spectacle m'a dit : « Qu'est-ce que tu as fait avant de faire du théâtre ? » J'étais surpris parce que je sortais de représentation. Je lui ai répondu : « J'ai vécu. » Je n'ai pas dit cela pour donner une réponse intéressante, mais parce que ça m'est venu tout naturellement. Je crois que ce que nous avons tous au Théâtre du Soleil, c'est que tous les gens ont un vécu. Et ce vécu, on le partage. Je crois que les choses qui sont belles de par le monde se ressemblent. Alors on se dit : « Tiens chez moi on dit " fleur " comme ça, chez moi on le dit comme ça, chez moi on mange comme ça avec une main. » On parle de manger, d'amour, de plein de choses.

JULIANA CARNEIRO DA CUNHA : Ariane a dit que nous emmenons notre enfance avec nous. Comme nous travaillons beaucoup sur l'enfance, c'est l'enfance de plusieurs pays que nous avons. C'est très rafraîchissant.

BRONTIS JODOROWSKY : Je pense aussi qu'on a beaucoup envie de voyager. Il y a des spectacles qui nous font voyager dans certains endroits, d'autres spectacles qui nous font voyager dans d'autres endroits. Je pense que c'est ça, le plaisir.

Simon Abkarian, Ariane Mnouchkine, Nirupama Nityanandan, Juliana Carneiro da Cunha.

Photo tirée d'une bande vidéo de la Rencontre publique du Soleil avec les écoles de formation (chapitre 4). Service de l'audiovisuel de l'UQAM.

ÉTUDIANT
NON IDENTIFIÉ : J'aimerais vous poser une question sur vos choix. Comment choisissez-vous une pièce, comment la travaillez-vous ? Comment distribuez-vous vos rôles ? Est-ce vous qui voyez tel acteur dans un rôle spécifique ou laissez-vous plutôt à l'acteur le rôle de dire : « Moi, je serais plus intéressé par ce personnage ; il me semble que je me sentirais mieux avec lui ou avec elle dans la pièce » ?

A. MNOUCHKINE : Je ne fais jamais de distribution avant. Jamais, jamais. Mais ce n'est quand même pas l'acteur qui dit : « Moi, je choisis ce rôle. » Ça ne marcherait pas. Donc, depuis très longtemps, vraiment depuis très longtemps, tous les acteurs essaient tous les rôles et ce pendant longtemps. Pour tout vous dire, le programme avec la distribution n'est jamais prêt le jour de la première tellement la distribution définitive, vraiment définitive, est tardive. Donc, tout le monde essaie tous les rôles.

Mais il y a aussi des évidences. Il y a des évidences qui apparaissent parfois d'une façon fulgurante, immédiatement. D'autres sont parfois plus longues, beaucoup plus longues. Parfois, c'est cruel parce qu'il peut y avoir pendant un moment une hésitation entre deux acteurs ou deux actrices, mais je ne fais jamais de distribution.

Je ne peux pas prétendre que je ne me dis pas : « Tiens, c'est probablement un tel qui va faire ça. » Il m'arrive de me tromper. Parfois, j'ai de belles surprises, des surprises formidables. J'ai aussi des désillusions très difficiles à accepter. En tout cas, je ne distribue pas les rôles, mais ce ne sont pas non plus les acteurs qui viennent dire : « Je ferai tel rôle. » Ils disent tous : « J'aimerais essayer ça. » Et ils essaient tous.

À un moment, telle pièce dit : « Bon, maintenant, c'est moi l'épreuve »

Votre première question portait sur l'œuvre. Comment nous choisissons nos pièces ? Je l'ai dit, je crois, tout à l'heure. Il y a une sorte de coup de foudre qui se produit à un certain moment. Il y a un moment pendant l'exploitation d'un spectacle où on ne sait pas ce qu'on va faire après. Il y a un moment de flou qui est très angoissant, mais en même temps assez agréable parce qu'on sait que, pendant ce temps-là, il y a quelque chose qu'on ne connaît pas qui est en train de mûrir. Puis il y a quelque chose qui s'impose, quelque chose qui nous choisit. Je ne suis pas sûre que ce soit nous qui choisissions telle pièce. Je pense que, à un moment, c'est telle pièce qui dit : « Bon, maintenant, c'est moi l'épreuve. »

SERGE DENONCOURT :

Est-ce qu'il y a une hiérarchie à l'intérieur de la troupe ? J'ai eu l'impression que, lors du spectacle, il y a des acteurs qui ont droit à la parole et aux rôles et pas les autres. J'ai l'impression que, à l'intérieur de la formation chez vous, il y a une espèce d'étape à franchir qui fait qu'on peut être sur scène, mais non parler. Est-ce que tout le monde était éligible — c'est un mauvais mot —, aurait eu le droit de jouer Oreste ? Est-ce que tout le monde était dans la course ou est-ce qu'il y a des années de formation ?

A. MNOUCHKINE : Non ! très sincèrement, non ! Tout le monde est éligible. Mais tout le monde n'est pas élu. Et quand vous dites qu'il y a des étapes à franchir, c'est très juste. Il y a des étapes à franchir. On ne peut pas prétendre que tout le monde soit pareil, soit au même niveau. Ce n'est pas vrai. Il y a l'idée d'une possibilité de formation justement. Je pense qu'on apprend beaucoup en apportant un tabouret. Par exemple, Catherine, qui est Coryphée, a commencé au Théâtre du Soleil en apportant un tabouret. Cela ne veut pas dire que tout le monde, tous ceux qui ont apporté des tabourets ont fini Coryphée. [Rires.] Disons donc que ce n'est pas une question de droit. Le droit s'acquiert. Si Simon joue Oreste ou si Niru joue Iphigénie ou Électre, si Juliana joue Clytemnestre, alors oui, ils y ont droit puisqu'ils le jouent. Mais leurs droits n'étaient pas affichés comme ça d'avance puisque tout le monde pouvait tout essayer.

Rien ne doit passer avant la beauté de l'œuvre et le respect du public

SERGE DENONCOURT :

Ce qui m'a amené à poser cette question, c'est que Simon, par exemple, joue Oreste, Achille, la nourrice. Et je me disais qu'il y a plein d'acteurs chez vous qui mourraient d'envie de jouer la nourrice…

A. MNOUCHKINE : En ce qui concerne la nourrice en particulier, je vous dirai qu'à un moment donné même Simon mourait d'envie que quelqu'un d'autre joue ce rôle. [Rires.] Et moi aussi, je dois dire !

Photo : Martine Franck (Magnum)

***Les Atrides* du Théâtre du Soleil.**

« Les rôles appartiennent à ceux qui les rendent meilleurs. » (p. 83)

C'est parce que c'était un changement extrêmement rapide. On a même été obligés de recourir à une petite astuce, on a allongé le chœur de quelques vers pour que Simon ait le temps de se changer. On aurait tous été vraiment, sincèrement ravis que quelqu'un d'autre arrive à faire la nourrice. Vous parliez de veto tout à l'heure. C'est à ce moment que je deviens très impopulaire évidemment. C'est que, à un moment donné, entre Simon et une autre personne qui n'y arrive pas tout à fait, je choisis la solution la plus difficile, mais la plus belle. Je crois d'ailleurs que tout le monde m'en a voulu un petit peu, y compris Simon, parce qu'il voulait souffler à ce moment-là. Mais il y a ce qui s'appelle quand même le respect d'Eschyle et du public. Et rien ne doit passer avant la beauté de l'œuvre et le respect du public, même pas les petites démocraties internes à une troupe.

Si quelqu'un d'autre avait fait la nourrice, cela aurait mis de l'huile dans les rouages et m'aurait enlevé beaucoup d'ennuis. Mais non ! Que voulez-vous que je vous dise ? Non ! Cela doit appartenir au meilleur.

Vous connaissez la phrase de Brecht : « La terre appartient à celui qui la rend meilleure, les choses à ceux qui les rendent meilleures. » Eh bien, voilà. Les rôles appartiennent à ceux qui les rendent meilleurs. Mais pas d'avance. Voilà ! Tout n'est pas décidé d'avance.

Ce qui n'est pas juste, pour moi, c'est lorsque les rôles sont effectivement distribués dès la première répétition. Parce que cela donne un système. Ce n'est pas le cas au Théâtre du Soleil.

Le revers de la médaille, c'est lorsque, tout d'un coup, après une période de grâce, il y a une période où un acteur qui trouvait tout pendant un spectacle, trouve moins. Moi, je l'accepte. Souvent l'acteur l'accepte plus difficilement.

ALINE OUELLET
Département de
théâtre de l'UQAM : J'aimerais revenir à la question du choix des acteurs. Vous avez répondu tout à l'heure que votre décision tenait à toutes sortes de facteurs. Je me disais que vous paraissez très intuitive, mais qu'en fait vous savez certainement quels sont les critères sur lesquels vous vous basez pour choisir vos gens. Si vous nous donniez

quelques exemples des raisons qui vous ont amenée à choisir cinq ou six de vos acteurs ? On a tous compris qu'il fallait être fort, moralement et physiquement, pour aller chez vous et qu'il fallait être humble. Mais pour le reste ?

Ce qui me décourage, c'est le désenchantement, le blasé, le cynique... J'ai besoin d'une certaine religiosité, d'un rapport au sacré

A. MNOUCHKINE : Non mais est-ce que vous pensez que je cache quelque chose ? [Rires.] Je me souviens de Catherine à l'époque, elle était d'abord assez impénétrable, c'est-à-dire que c'était une petite jeune femme avec un petit chignon sur le côté, qui bougeait très bien, qui était très athlétique, qui aidait beaucoup les autres à s'habiller. Dans le stage qu'elle a fait, elle était très dynamique, très gaie. Elle n'a rien fait de mirobolant. Elle a fait une belle improvisation, mais, à part cela, rien d'exceptionnel. Je savais, par ailleurs, qu'elle avait passé deux ans en Inde dans le Kalamandala. Il faut être courageux, pour passer deux ans dans le sud de l'Inde, dans un village sans électricité. Tout cela pour étudier le Kathakali sans y aller un mois en touriste. Et puis elle a demandé à entrer dans la compagnie et c'était tout de suite très net que Catherine était quelqu'un qui faisait bien ce qu'elle avait à faire. Je veux dire que son travail était bien fini, méticuleux. Il y avait une rigueur, même dans les choses très modestes qu'elle faisait — elle apportait des tabourets, elle jouait dans la troupe des serviteurs de Sihanouk —, il y avait une méticulosité, une délicatesse ! Elle était rentrée dans la délicatesse des serviteurs de la cour de l'époque et elle le faisait avec un enthousiasme, un appétit, un plaisir. Ce sont donc les premières choses qui m'ont frappée chez elle. Pourtant, elle ne possédait pas du tout la parole sur scène.

Ce serait plus facile de vous dire ce qui me décourage. Ce qui me décourage le plus, tout de suite, c'est le désenchantement, le blasé, le cynique, celui à qui on ne la fait pas. [Rires.] Ça alors, immédiatement, c'est non ! C'est comme si on me mettait une couverture mouillée.

Je cherche une vibration, une crédulité, une passion, un besoin ! J'ai besoin d'une certaine religiosité, d'un rapport au sacré. Voilà ! Si quelqu'un faisait les gestes, les petits gestes rituels qui sont les nôtres, sans qu'il y mette effectivement quelque chose d'important pour lui, ça nous gâcherait tellement du plaisir du sacré, du théâtre, du rituel, de la mise en poésie de la vie quotidienne que, à ce moment-là, ça ne m'inspirerait plus, ça ne m'inspirerait pas. C'est peut-être que j'ai besoin d'enfance aussi. Est-ce que j'ai suffisamment répondu à votre question ?

ALINE OUELLET : Oui, parce que vous avez amené la dimension qui n'avait pas été nommée et qu'on voyait en scène. Toute l'*anima* est là. C'est bien que vous l'ayez nommée parce qu'il faut aller vers une dimension qui est autre que celle que l'on voit.

J'avais une deuxième question. On identifie toujours Ariane Mnouchkine au Théâtre du Soleil, mais est-ce qu'il y a quelque chose qui a essaimé ailleurs ? Y a-t-il des acteurs qui sont passés chez vous et qui ont fait des choses ailleurs ? Y a-t-il des petits bébés dinosaures quelque part ? Est-ce que le Théâtre du Soleil, c'est seulement Ariane Mnouchkine ?

A. MNOUCHKINE : Il y a des gens qui sont partis du Théâtre du Soleil pour essaimer, pour faire des troupes. Ils l'ont fait avec plus ou moins de réussite ou de bonheur. Il y a Jean-Claude Penchenat qui a fait le Campagnol ; il y a Jean-Pierre Tailhade, qui fait des spectacles tout seul, Philippe Caubère aussi. Donc oui, je pense qu'il y a des acteurs qui sont passés au Soleil et qui ont fait des choses ailleurs. C'est normal, vu que c'est un phénomène presque familial, que ceux qui partent soient en réaction. Il y a donc une contradiction. Ceux qui essaiment ne peuvent donc pas être totalement des clones du Soleil. Ils ne le font pas par parthénogénèse, mais ils font forcément des choses qui sont marquées par le Théâtre du Soleil puisqu'ils y ont participé pendant longtemps. Donc ils sont en crise et ont une revendication du différent.

MARIE OUELLETTE
Département de
théâtre de l'UQAM : Ma passion pour le Théâtre du Soleil vient de ce mot magique qui s'appelle la troupe. Au Québec,on n'a pas de troupes. Il y a des compagnies théâtrales, mais pas de troupes au sens fort du terme. J'aimerais entendre parler de cette chose qu'est la troupe, de ce qui fait que

ça dure depuis toutes ces années, du métier d'actrice et d'acteur à l'intérieur de la troupe, de cette sphère que crée la troupe.

Et puis que pensez-vous de la direction d'acteurs dans le secteur commercial ? Que pensez-vous de cette nécessité qu'il y a de gagner sa vie et qui pousse le comédien à jouer à la télévision et à faire des annonces publicitaires ?

Il y aura toujours du rêve

A. MNOUCHKINE : Il paraît évident qu'une troupe comme le Théâtre du Soleil a commencé par un rêve. Et elle continue parce que c'est toujours un rêve. Cela ne veut pas dire que c'est le même rêve pour tout le monde. Cela ne veut pas dire non plus que c'est idyllique tout le temps. Parfois, c'est extrêmement cruel. Maintenant, je parle en mon nom personnel. Je ne sais pas du tout combien de temps va durer le Théâtre du Soleil. Mais je sais que, pour moi, faire du théâtre en dehors d'un ensemble qui partage une recherche en commun, c'est absolument inconcevable. Je ne ferais pas de théâtre autrement. Parce que je crois que c'est la seule façon d'apprendre et que j'ai envie d'apprendre.

J'aimerais bien gravir la montagne. Et gravir la montagne, ce n'est pas simplement gravir la montagne de chaque œuvre, c'est arriver à gravir la montagne du théâtre, de sa vie. Il y a donc le fait que c'est un rêve et que ce rêve est lui-même un défi, une épreuve.

Quant à votre deuxième question sur ce que je pense des acteurs qui font des annonces publicitaires, je n'ai pas le droit d'y répondre. Bien sûr, j'ai une opinion mais je n'ai pas à exprimer ce que je pense en public, parce que justement je ne me mets jamais à la place de quelqu'un d'autre. Ce que je peux vous dire, c'est que je changerais de métier s'il venait à se faire que je sois obligée d'abandonner mes exigences. Je ferais autre chose ; c'est évident. Je ne pourrais pas faire ce que, moi, je pense ne pas être du théâtre. Je n'ai pas à juger ceux que l'envie de faire du théâtre pousse finalement à faire quelque chose qui n'en est pas.

Et puis à tout cela se mêlent des tas d'autres choses, des désirs d'argent, enfin d'un peu d'argent, des désirs

Photo : Martine Franck (Magnum)

Ariane Mnouchkine et le Théâtre du Soleil.

« Il paraît évident qu'une troupe comme le Théâtre du Soleil a commencé par un rêve. Et elle continue parce que c'est toujours un rêve. » (p. 86)

d'indépendance, parfois l'envie aussi de prendre la tête d'une troupe.

Il y a diverses réponses à l'art du théâtre. Le moins que l'on puisse dire, c'est que le monde autour de nous ne favorise pas la troupe. Je me demande combien de temps cet état de choses va durer, si c'est une époque, une période seulement ou, au contraire, une ère. On érige aujourd'hui l'individualisme en valeur. Cela peut tirer à conséquence. Mais je pense que, chez les jeunes hommes et les jeunes femmes qui veulent faire du théâtre, il y aura toujours du rêve, il y aura toujours quelqu'un qui arrivera avec ses gros sabots et qui dira : « Oui, mais moi c'est ça que je veux faire. » Alors, allons-y ! Ce n'est pas possible que tout le monde échoue. Il y aura quand même des gens qui feront des troupes et qui tiendront le coup.

Mais c'est vrai qu'en ce moment, en France, on n'encourage pas les jeunes et on les trompe. C'est un peu comme Pinocchio. On les emmène dans les parcs de loisirs.

DANIELLE CODOGLIANI
Conservatoire
d'art dramatique
de Montréal : Je voudrais savoir comment se passe une journée avec la troupe du Théâtre du Soleil ? Que comprend le travail ? Quelle est la place du jeu ? J'aimerais savoir aussi ce qui se passe entre deux spectacles. Est-ce qu'il y a un vide ou est-ce que vous continuez à travailler ? Et, finalement, combien de temps environ passe un comédien avec la troupe du Théâtre du Soleil ?

A. MNOUCHKINE : À votre première question sur ce à quoi ressemble une journée de travail, je répondrai : ça dépend. Pendant les répétitions, c'est un certain type de journée ; pendant les représentations, c'en est un autre. Pour les répétitions, c'est tout simple. On arrive à neuf heures moins dix. On prend un café et, à neuf heures, on commence. C'est-à-dire qu'il y a de l'échauffement. Ce dernier dépend des spectacles. Ou bien c'est simplement un échauffement ou bien c'est de l'échauffement et de la danse comme pour *Les Atrides*. Ensuite, on décide quelles sont les scènes qui vont être travaillées ce jour-là, qui essaie quoi dans quelles scènes. Le tout dans le désordre parfois. Donc, les équipes se forment avec les différentes distributions proposées. Les acteurs se déguisent — je n'ose pas vous dire qu'ils s'habillent parce que ce n'est pas encore ça. Ils se déguisent donc, ils se maquillent, ils ont l'air de rutabaga ou de poireau... Et on commence à répéter.

Le premier mois de répétition, on s'arrête normalement vers sept heures. Et très vite, on s'arrête vers huit heures, puis vers neuf heures, puis vers dix heures. Là, on dîne. Et puis on recommence.

Je vous ai donné notre façon de travailler pour *Les Atrides*, mais pour d'autres spectacles les comédiens aident énormément à la construction du décor ou à autre chose. Avec *Les Atrides*, la quantité de travail était telle que ce n'était pas possible. Toutes les heures devaient être consacrées aux répétitions tellement on a eu de difficultés au début. On travaillait souvent de neuf heures à minuit. Pour les quatre spectacles, on a travaillé en tout dix mois et demi. On a fait les trois premiers en sept mois et demi. On les a joués très longuement puisqu'on ne pouvait plus s'arrêter vu qu'on n'avait plus un rond et qu'il fallait vraiment jouer. [Rires.] Et après, on s'est arrêtés en janvier. Après Lyon, on s'est arrêtés trois mois pour monter *Les Euménides*. Voilà comment cela se passe quand on répète.

Quand on joue, c'est un petit peu différent. Comme le spectacle à Paris commence à sept heures et demie, tout le monde arrive pour déjeuner vers une heure trente ou deux heures. Ceux qui sont de service, comme on dit — c'est-à-dire la moitié —, font le ménage, la préparation du bar..., les autres qui ne sont pas de service cette semaine-là arrivent à quatre heures pour commencer à sept heures et demie. Ils se réunissent pour l'échauffement. Le public entre une heure avant, c'est-à-dire à six heures et demie et les acteurs sont dans leur loge à peu près vers cinq heures et demie, six heures moins le quart.

MICHEL SAVARD
Option théâtre
du collège de
Saint-Hyacinthe :

Quelqu'un disait tout à l'heure qu'ici, au Québec, il n'y a pas de troupe de théâtre. Je finis l'école. Je suis comédien depuis quelques années. Si j'ai envie de faire naître une troupe un jour, comment ça se fait ? Comment ça se crée ? Par où commencer ?

A. MNOUCHKINE : Je peux simplement vous dire comment ça a commencé. Ça commence souvent quand même par une bande d'amis. En l'occurrence, en revenant d'Angleterre, j'avais fondé, quand j'ai commencé ce que je croyais être mes études, une troupe d'étudiants amateurs à la Sorbonne. C'est là que tous les fondateurs du Soleil se sont rencontrés, mais c'était pour faire du théâtre amateur. C'est devenu une bande, une bande d'amis, et nous avons décidé que nous allions faire du théâtre ensemble. Mais il y a eu le service militaire à terminer pour certains, des études pour d'autres. Moi, je voulais faire un grand voyage en Asie. Nous avons fait tout cela, puis nous nous sommes retrouvés et nous avons créé le Théâtre du Soleil. Nous ne savions rien. Personne ne savait rien.

Personne, parmi nous, n'avait été comédien. Tous n'avaient fait que du théâtre amateur. Moi, je n'avais aucune idée de ce que pouvait bien être la mise en scène. Voilà !

Je pense que ça commence par de l'amour, de l'espoir. Ça commence par de l'enthousiasme, par du culot. Parce qu'il faut être quand même culotté. Et puis peut-être aussi que ça commence par de l'inconscience puisque que nous ne savions rien. Cela nous ramène à l'humilité dont nous parlions tout à l'heure.

MICHEL SAVARD : Mais il y a souvent aussi une question financière.

A. MNOUCHKINE : Oui. À l'époque, nous avons mis trois ans pour le faire. Nous avions décidé qu'on mettrait neuf cents francs chacun, ce qui était beaucoup. Cela représente presque cinq mille francs maintenant. Puis on travaillait dans la journée et le soir on répétait.

Maintenant, c'est dix fois plus difficile de créer une compagnie que ça ne l'était en 1964. À l'époque, je ne dirai pas qu'on nous encourageait à créer, mais il y avait, du côté du ministère, un certain regard. Il ne donnait pas d'argent, mais il y avait deux messieurs un peu sinistres d'aspect qui allaient voir tous les spectacles et qui s'appelaient Lerminier et Deher. J'ai une reconnaissance totale pour ces deux hommes, parce qu'ils allaient en banlieue voir n'importe quoi. Dès que quelqu'un faisait un petit spectacle, on voyait arriver Deher et Lerminier avec leur pardessus, l'air sinistre, et ils venaient dire quelque chose.

Aujourd'hui, les jeunes qui commencent, personne ne va les voir. Personne. Avant qu'ils arrivent à dire : « J'existe », il leur faut beaucoup de temps et d'énergie.

Et puis il y avait des gens comme Vilar, comme Paolo Grassi du Piccolo de Milan. Il y avait des gens qui avaient suffisamment créé, eux, pour ne craindre personne. Et qui avaient envie qu'on naisse. Et qui veillaient sur nous, qui nous aidaient, qui nous arrosaient, je dirais, pour qu'on pousse bien, donc qui nous encourageaient. On a été très encouragés même si on a eu des difficultés sans nom.

Il y avait un sourire. On sentait un œil, une oreille. On ne sentait pas cette espèce de corporatisme prétentieux qui prévaut aujourd'hui.

ÉTUDIANT NON IDENTIFIÉ : Ma question s'adresse aux comédiens. J'aimerais savoir comment, dans votre démarche de création à travers votre spectacle, vous vivez la relation de travail, votre relation avec le metteur en scène ? Comment le travail du metteur en scène vient-il vous aider ? Comment Ariane Mnouchkine participe-t-elle à votre travail ?

SIMON ABKARIAN : Je crois tout d'abord qu'il y a un rapport de confiance entre l'acteur et le metteur en scène. Ce rapport de confiance s'établit tout de suite. Il y a une croyance mutuelle. Nous, on se met en danger sur un plateau, on peut se casser tout de suite. Il suffirait d'une parole ou d'un geste brutal pour nous briser en mille morceaux. Il en va de même pour le metteur en scène. On a tendance à l'oublier. On travaille tous dans l'imagination, le metteur en scène aussi bien que nous.

Cela commence par l'acteur et on se nourrit mutuellement. Il s'agit de perméabilité. Il faut admettre aussi qu'on ne sait rien. C'est-à-dire qu'on oublie tout, mais on n'oublie pas qu'on oublie. Et on plonge.

Quand on a commencé les Grecs, pour en parler, on a mis un costume comme disait Juliana, un maquillage, on a pris le texte en main, on est partis.

Il y a un instinct animal chez l'acteur et le metteur en scène qui se rencontrent. Des connivences se créent. Il y a des moments où on se regarde simplement et on se comprend. Cela va vite parce qu'on est en action.

Brontis Jodorowski, Simon Abkarian, Ariane Mnouchkine, Nirupama Nityanandan.

Photo tirée d'une bande vidéo de la Rencontre publique du Soleil avec les écoles de formation (chapitre 4). Service de l'audiovisuel de l'UQAM.

Notre travail avec Ariane est toujours en action, et en confiance, donc en danger puisqu'on s'ouvre l'un à l'autre.

BRONTIS JODOROWSKY : Pour continuer sur ce que disait Simon, je dirai aussi qu'il y a une exigence, il y a un regard d'Ariane qui est un regard d'exigence. Elle voit un acteur faire quelque chose de très bien un jour et le lendemain, comme un enfant, elle veut voir la suite. Elle veut voir vers où ça avance. Alors elle dit : « Hier, c'était très bien, et maintenant quoi ? » Est-ce qu'on peut épurer ? Qu'est-ce qu'on peut faire ? Comment on améliore la situation ? Comment peut-on être plus profond ? Comment peut-on mieux dessiner l'image ? Comment peut-on rendre la chose plus claire ? Il y a donc un rapport de confiance et de connivence et un rapport d'exigence qui s'établit. Ça veut dire que, comme pour les sauteurs à la perche, Ariane monte toujours un petit peu plus la barre : « Tu as sauté six mètres. Bon ! on va essayer six mètres cinq. »

Avoir le courage de prendre les indications au pied de la lettre

NIRUPAMA NITYANANDAN : J'aimerais ajouter quelque chose. Quand on travaille avec Ariane et qu'elle nous donne une indication, il faut avoir le courage de la prendre au pied de la lettre, de faire exactement ce qu'elle demande et pas autre chose. C'est-à-dire que lorsqu'elle dit : « Le vieillard rentre dans le palais », il rentre, il ne fait pas autre chose. C'est tellement simple que c'en est parfois effrayant. Souvent, on a l'impression qu'Ariane joue quand elle donne une indication. C'est comme si tous les pores de notre corps étaient ouverts et attentifs à elle et aux autres comédiens.

Moi, par exemple, quand j'ai commencé *Les Atrides*, je savais danser mais, tant que je ne dansais pas comme quelqu'un d'autre, je ne savais pas danser. Il a fallu du temps pour que je comprenne cela en regardant Ariane, en entendant ce qu'Ariane me disait, en regardant Simon, en regardant Catherine. Il faut donc savoir être complètement prêt à être quelqu'un d'autre.

SIMON ABKARIAN : J'ajouterai à ce que dit Niru que, pendant *Les Atrides*, on a été mis à l'épreuve comme on l'a rarement été. Aussi bien Ariane que nous. Ariane nous donnait des indications et cela ne marchait pas. Elle disait autre chose allant dans le même sens, mais autrement, et cela ne marchait toujours pas. Parfois, le doute s'installait.

Moi, je ne voyais rien. Je disais : « Écoute, Ariane, je crois qu'ils ne font pas ce que tu leur as dit de faire. » Il y a toujours un moment où on dit : « Attendez ! il ne fait pas ce qu'Ariane lui dit de faire. » On en discute généralement : « Elle t'a dit de faire ça, pourquoi tu ne le fais pas ? — Mais je l'ai fait. — Non tu ne l'as pas fait. » On constate qu'il y a parfois de la surdité, de la cécité de la part des acteurs. Quelqu'un aura beau faire des galipettes qui soient géniales, ou très bien formuler les choses, si ça ne s'intègre pas naturellement au spectacle, ça ne marche pas.

A. MNOUCHKINE : Je vais ajouter ceci. Comme le disaient Niru et Simon, il est en effet absolument essentiel que, à un moment donné, un acteur prenne les indications à la lettre parce que c'est la seule façon de voir si elles sont bonnes ou mauvaises. Si une indication est mauvaise, on la retire.

Il y a aussi le moment inverse, celui où je ne donne pas d'indication. En effet, il m'arrive de dire : « Je ne sais pas. » Ceci est une qualité mais, pour les comédiens, cette incertitude est parfois très dure à supporter. C'est angoissant. Et Dieu sait si avec *Les Atrides* cela nous est arrivé.

Donc, il y a deux situations possibles. Ou bien une indication est donnée, mais n'est pas mise en application non pas par mauvaise volonté, mais par incompétence ou parfois par simple dérapage. Ceci provoque le doute. Ou bien le metteur en scène ne sait pas. Il en a le droit. Et, là aussi, le doute s'installe. À ce moment-là, qu'est-ce qui fait redémarrer la machine ? Bien évidemment, c'est un acteur qui se dit : « Puisqu'on ne sait pas, tentons cela. Non ! ça ne va pas ? Tentons cela. Ah tiens ! » Ce n'est peut-être pas ça encore, mais ça redonne le théâtre. La scène ne sera finalement peut-être pas jouée comme ça, mais, après une matinée, une journée, une semaine de non-théâtre, tout d'un coup, le théâtre est revenu. Et cela redonne du courage. On se remet à chercher avec les bons outils. On arrête de vouloir bêcher avec une passoire. On prend une bêche. Et, à ce moment-là, on bêche. Et ça marche mieux tout de même.

Avoir de la crédulité

ÉTUDIANT NON IDENTIFIÉ : Je me demandais quels problèmes vous a causés votre utilisation du texte que vous avez produit. Quelle sorte de processus avez-vous mis en place pour faire cette traversée ?

A. MNOUCHKINE : Il y a eu plusieurs problèmes. D'abord, il y avait le problème des clichés, c'est-à-dire qu'on s'est dit : « Eschyle et Euripide viennent d'écrire cette pièce pour nous. » C'est facile de se dire cela quand il y a dix mille, cent mille livres sur un texte, que ce texte est absolument englouti sous les commentaires, les clichés, éventuellement les mises en scène. On avait de la chance, on n'avait vu aucune mise en scène, mais on aurait pu en voir. Donc, il fallait résister aux clichés.

Le second problème, comme toujours avec les grands textes, c'est un problème de crédulité. On est là comme des imbéciles à se dire : « C'est un très, très, très grand texte ! Qu'est-ce que cela veut dire ? » Et on est tellement congestionnés sur le « qu'est-ce que cela veut dire ? » qu'on ne voit pas que ce que cela veut dire est écrit tout simplement. [Rires.] Il y a une partie du texte qui est quand même compréhensible. Or, pendant un moment, une partie d'entre nous nous obstinions à ne pas comprendre sous prétexte que c'était si grand ! C'était tellement intimidant qu'on ne comprenait pas ce qui était écrit. Puis, à un certain moment, on s'est dit : « Mais enfin, zut ! C'est du théâtre, et c'était joué devant vingt mille personnes parmi lesquelles il y avait des érudits, mais aussi des esclaves, des analphabètes, des gens qui ne parlaient pas le grec ou qui en comprenaient seulement une partie. Donc, nous devrions quand même arriver à comprendre une partie. » Et là, nous nous sommes mis à être de nouveau au présent. Là, ça a commencé ! Comme ça !

Le problème est là. Il y a eu des moments identiques avec les Shakespeare. On veut mettre du « plus » alors qu'il y a déjà du « trop » dans le texte. Et on veut dire que c'est encore plus. Un tel dit : « Je rentre dans la maison » et on se dit : « Qu'est-ce que cela veut dire ? » Cela veut dire qu'il va entrer dans la maison. Il faut bien admettre cela. Voilà ! Et si le serviteur ne disait pas « étranger », eh bien ! Achille rentrerait et casserait la gueule à Agamemnon. Mais comme ce n'est pas bien, l'esclave arrive et dit « étranger ». Et qu'est-ce que ça veut dire « étranger » ? Ça veut dire « étranger ». Ça veut dire qu'Achille est un étranger par rapport à l'esclave. Bon. Voilà. Ça veut dire ça. C'est ça, le problème. C'est qu'on veut être plus intelligent qu'Eschyle. Et alors on devient complètement idiot. [Rires.]

ROBERT REID
Département de
théâtre de l'UQAM : Ma question s'adresse plus spécifiquement à Simon. J'ai vu *Iphigénie*.

Ma question porte sur la pantomime. J'ai noté dans votre jeu un travail particulier sur les entrées et les sorties, et un travail de ponctuation proche de la pantomime après une réplique. J'aimerais savoir si vous travaillez le corps ou la pantomime en salle de répétition ou dans vos ateliers. Si oui, de quelle façon le faites-vous ?

SIMON ABKARIAN : Les entrées et les sorties sont fondamentales au théâtre. Tout travail commence par une entrée. S'il n'y a pas d'entrée, il n'y a pas de théâtre et on ne peut pas jouer la scène.

On travaille aussi beaucoup le masque, donc les arrêts puisqu'une action se distingue d'une autre par ses arrêts : un arrêt, un autre arrêt. Mais il ne s'agit en aucun cas de pantomime, non.

A. MNOUCHKINE : Je crois qu'il y a un malentendu. Déjà dans la façon dont vous posez votre question, vous êtes un peu ailleurs par rapport à notre travail. Simon vous répond tout simplement : « Oui, il y a des arrêts. Mais dans la sortie d'Achille, il n'y a pas un arrêt, il y en a peut-être cinquante. » Dans la danse, il n'y a pas de mouvement s'il n'y a pas d'arrêt. Donc, l'art du masque est fondé sur les arrêts. Si un grand acteur masqué fait un saut périlleux, on aura l'impression que, pendant ce saut périlleux, il s'arrête dix-huit fois. C'est ça, la qualité du mouvement.

Je comprends que Simon n'arrive pas à répondre à votre question parce que vous lui posez le problème à l'inverse de la façon dont lui ou les autres comédiens essaient de travailler. Simon vous parle de la précision. Il vous dit que, lorsque Agamemnon ou Achille montre

Brontis Jodorowski et Simon Abkarian.

Photo tirée d'une bande vidéo de la Rencontre publique du Soleil avec les écoles de formation (chapitre 4). Service de l'audiovisuel de l'UQAM.

quelque chose, il file vraiment dans la direction. Il va comme une flèche. Et il s'arrête. S'il ne s'arrêtait pas, il n'y aurait pas de mouvement. Vous parlez de fignoler l'action, de finir en pantomime ou en statuaire. Ça n'a rien à voir.

Il est important que la réponse de Simon et la mienne soient bien claires. Très souvent, dans les stages avec de jeunes comédiens, il y a toujours un moment où je dis : « Arrête-toi ! Non ! Arrête-toi ! — Bien, je suis arrêté. — Non ! Non ! arrête-toi vraiment. » Et en général, il peut se passer dix minutes avant que quelqu'un soit vraiment immobile.

Ça me frappe très souvent qu'au théâtre les acteurs ne s'arrêtent jamais. Ils sont toujours agités et donc tout est brouillé en permanence. Il n'y a pas de dessin de l'action.

ROBERT REID : Quand Achille sort, quand Simon sort, il est encore en mouvement dans son arrêt ? Le corps est arrêté en masque, mais l'acteur est-il encore en mouvement ?

SIMON ABKARIAN : Oui, parce qu'il va quelque part. On sait que, à ce moment-là, c'est la fin d'Achille. C'est sa dernière sortie. On ne le revoit plus dans la pièce. Ce que je tente de faire, c'est d'imaginer où va Achille jusqu'au dernier moment, même lorsqu'il disparaît sous les loges. Son voyage continue en fait et tout n'est pas fini.

NANCY McCREADY
Comédienne : Ma question porte sur le jeu masqué. Quand vous faites une production et que le spectacle est joué avec des masques, comment travaillez-vous avec la personne qui les fait, avec le sculpteur de masques ? À quel moment décidez-vous que les traits sont arrêtés ? À quel moment pouvez-vous dire : « Là, oui, c'est fait » ?

A. MNOUCHKINE : Il y a des masques qui attendent parfois de pouvoir entrer en scène. Là encore, la façon dont vous posez votre question ne correspond pas à notre démarche. D'abord parce qu'on travaille avec quelqu'un qui s'appelle Erhard Stiefel qui est un masquelier — je viens d'apprendre le mot — et qui est un sculpteur. C'est un très grand sculpteur. C'est quelqu'un qui a un rapport aux masques, qui a un don pour les masques tout à fait extraordinaire. En fait, son travail ne se passe pas comme vous le dites. Il n'essaie pas de calquer le masque sur un visage, de lui donner une psychologie. Bien au contraire.

En fait, il fait des masques. Bien sûr, il les fait dans la direction du spectacle, mais il ne sait pas, quand il commence à sculpter son bloc de tilleul, ce qui va en surgir. C'est comme son continent à lui. C'est son âme à lui. Et puis un masque vient. Il l'apporte. Et, à ce moment-là, la question est de savoir si ce masque va rencontrer un des personnages du spectacle ou un des acteurs ou une des actrices du spectacle.

Dieu merci, ça se produit ! Mais souvent il y a des masques moins forts que d'autres, exactement comme cela se passe dans notre travail. Il y a même parfois des masques qui restent, qui attendent encore d'entrer sur scène.

NANCY McCREADY :

Vous gardez tous les masques ? Ils restent là. Est-ce qu'il arrive que le masque change ? Qu'Erhard Stiefel refasse d'autres masques jusqu'au soir de la première ?

A. MNOUCHKINE : Oui, mais il ne modèle pas un masque comme ça. Un masque n'est pas de la glaise. C'est dur. Donc, d'une certaine façon, cela ne se corrige pas. Le masque sort ou il ne sort pas. Et après, il y a tout un travail de peinture. Je veux dire par là que ce n'est pas comme si Erhard travaillait avec le masque en me disant : « Finalement, tiens ! j'ai vu une improvisation. Ce serait bien qu'elle ait un nez crochu. » Non ! Ce n'est pas comme cela que ça se produit. Un masque a une existence ou alors il n'est pas bon. C'est au comédien à se plier au masque et non au masque de se plier au comédien.

ROBERT DION
Département de
théâtre de l'UQAM : Je m'intéresse personnellement beaucoup « au plaisir » qu'il y a dans le jeu d'acteur. Vous faites souvent référence à l'enfance. Vous dites que l'acteur doit entrer en enfance. Vous dites même qu'il doit jouer comme un enfant, jouer au roi, jouer à la reine. Je me demande si, dans des pièces, dans des œuvres aussi tragiques que *Les Atrides*, il y a ce plaisir. Le plaisir de jouer, le plaisir de l'enfance existe-t-il autant dans *Les Atrides* que dans *La nuit des rois* par exemple ?

A. MNOUCHKINE : Je regrette que les acteurs ne soient plus là pour vous répondre[7]. Très sincèrement, je crois qu'ils vous répondraient que le plaisir est évidemment aussi intense. Parce que la volupté de la souffrance est le propre même de la tragédie. Mais, après tout, vous pouvez vous poser la question à vous aussi. Est-ce que vous avez vraiment du plaisir à voir des histoires aussi épouvantables ? [Rires.] Oui, apparemment. Eux aussi. Le plaisir de l'acteur, c'est d'être autre, de vivre la souffrance de l'autre.

Je crois à la pédagogie de l'humble copie

ANNICK CHARLEBOIS :

Pour en revenir à la formation de l'acteur, vous dites souvent : « On apprend par le regard. » Au Québec, on apprend beaucoup par la pratique.

A. MNOUCHKINE : C'est pareil.

ANNICK CHARLEBOIS :

Oui, je veux bien. Mais que serait la nature de ce qu'on apprend par le regard ?

A. MNOUCHKINE : Tout à l'heure, Simon a parlé de copie. Je crois beaucoup à la pédagogie de l'humble copie. C'est une pédagogie tout à fait orientale. Je dirai que le commencement de la pédagogie, par exemple du Topeng ou du Kabuki ou du Nô, c'est la copie. L'élève suit le maître et fait pareil.

Ce n'est pas la seule pédagogie, évidemment, pour nous, mais il y a une chose qu'on a apprise, c'est à ne pas avoir honte de copier. Et copier ne veut pas dire caricaturer. Copier, c'est copier de l'intérieur.

Il ne suffit pas de copier la démarche ou le geste, il faut aussi copier l'émotion intérieure liée à cette démarche ou à ce geste. Quand quelqu'un essaie un rôle, si les autres acteurs sont là en train de se dire : « Ah moi alors quand je vais passer, il faut que j'essaie de faire comme ci, ou comme ça », ils n'apprennent rien. S'ils regardent vraiment ce qui se passe, s'ils regardent l'autre, sans

7. Les acteurs ont dû partir au bout de deux heures afin de se préparer à la représentation du soir.

critique, sans jugement, avec le plus d'ouverture possible, alors on progresse.

MICHEL VAÏS
Critique et journaliste
à Radio-Canada : À la conférence de presse que vous avez donnée à votre arrivée, je vous avais posé une question à laquelle vous avez répondu de façon très animée et qui concernait l'appui de l'État, du gouvernement. Je voudrais savoir quelle place tient la Politique avec un « P » majuscule dans la troupe ? Est-ce que vous discutez de grandes questions politiques entre vous ? Est-ce que c'est important ?

A. MNOUCHKINE : Ça dépend des moments. Vous savez, Émile Zola disait que s'il avait été en train d'écrire un roman au moment de l'affaire Dreyfus, il n'aurait pas écrit le *J'accuse*. Il admettait cela et en disant cela il admettait que, dans un processus de création, il faut se protéger un peu. Alors, je crois que, en plein moment de répétitions, ce qui prime, c'est le théâtre. Au moment des représentations, on a plus de temps pour s'investir. Il se trouve cependant que, dans la troupe, ce sont des gens qui sont dans l'ensemble de gauche.

Il y a eu, cependant, des conflits qui ont divisé le groupe. Il y a des choses qui auraient pu être très graves et qui se sont réglées par une très longue discussion. C'est le cas de notre voyage en Israël. Nous avions été invités par Israël et nous avons été sollicités évidemment de toutes parts de boycotter. Moi, je pensais qu'il fallait qu'on y aille, surtout qu'on jouait *L'Indiade*, c'est-à-dire un spectacle sur la partition indienne. Une grosse partie de la troupe pensait aussi qu'il fallait y aller, mais il y avait deux ou trois acteurs qui disaient, eux, qu'il ne fallait pas y aller.

Donc, ça aurait pu être très embêtant parce que ça aurait pu être quelque chose de très déchirant. Ça s'est bien réglé. On s'est écoutés de part et d'autre. Il y a eu une écoute. Je dois dire que ce qui a beaucoup joué en faveur de ce voyage, c'est que les Arabes qui étaient dans la compagnie à l'époque voulaient y aller. Et ça a assagi le débat. Mais il y aurait eu quelqu'un d'un peu fanatique dans le groupe, on serait passés par une crise très grave.

Il y a eu une autre division assez forte sur la guerre du Golfe. Là, on a décidé qu'on ne se laisserait pas envahir par la discussion. Il y en avait qui pensaient qu'il fallait la faire, d'autres qui pensaient qu'il ne fallait pas la faire. Ça devenait tendu.

Comme ce n'était pas notre opinion qui allait changer quoi que ce soit sur la guerre du Golfe, il y a eu un consensus pour ne plus en parler au Théâtre du Soleil parce que c'était trop pénible, trop douloureux. Et, en plus, on s'entendait dire beaucoup de bêtises. Quand on a remarqué qu'on disait tous beaucoup de bêtises et qu'on ne fonctionnait plus à partir de savoir, mais à partir d'opinions, on s'est dit : « Bon ! allez, on en parle dans les cafés le soir, mais au Théâtre du Soleil, on arrête parce que ça ne sert à rien. »

Reste la question du référendum[8] sur l'Europe. Là, on est tous pour et tous tellement inquiets.

Je ne suis pas très forte en méditation

ÉTUDIANT NON IDENTIFIÉ : Le langage théâtral de l'Orient s'appuie sur toute une culture et une spiritualité qui trouve ses racines dans la méditation. Est-ce que vous utilisez la méditation comme étape préparatoire à la concentration et comme moyen d'être plus présent pour l'acteur? La méditation est-elle utile à l'acteur?

A. MNOUCHKINE : Ça, c'est un choix individuel. Je sais que Niru et une comédienne du chœur utilisent souvent la méditation. Elles vont dans un endroit où elles méditent un petit peu. Personnellement, je ne suis pas très forte en méditation. Donc, je ne pourrais évidemment pas conseiller d'en faire. Ça, c'est ce que nous appelons la cuisine de chacun. Chacun a sa cuisine, chacun a son besoin. Et il y a le besoin collectif. Il y a les choses obligatoires pour tous : l'échauffement physique ensemble, par exemple. Ceux qui ont besoin, avant l'échauffement ou après, de méditer méditent. Ceux qui ont besoin d'aller prendre un café, à la cuisine, et de parler avec des gens qu'ils ne rencontrent pas sur scène le font. Ceux qui ont besoin de dormir dorment. Ceux qui ont besoin de faire du yoga font du yoga. Ceux qui ont besoin de lire un

8. Il s'agit du référendum sur le traité de Maastricht. La France finira par voter « oui » à 45 % quelques semaines plus tard.

journal lisent un journal. Ceux qui ont besoin de jouer aux échecs jouent aux échecs.

ÉTUDIANT NON IDENTIFIÉ : C'est un pot-pourri. Une approche démocratique.

A. MNOUCHKINE : Non. Ce n'est pas démocratique. C'est tout à fait pragmatique. Un acteur peut ignorer qu'il médite quand il prend son café tout seul dans son coin. [Rires.] Et si Juliana a besoin de dormir, ça veut dire qu'elle a besoin de dormir. La seule chose qui n'est pas permise, c'est quelque chose qui gênerait les autres. Si quelqu'un a besoin de hurler, eh bien ! il faut qu'il aille de l'autre côté de la Cartoucherie. [Rires.]

JIMMY FLEURY Option théâtre du collège Lionel-Groulx : Tout à l'heure, vous avez dit qu'il faut être très fort mentalement pour entrer dans la troupe.

A. MNOUCHKINE : Je n'ai pas dit cela. C'est quelqu'un qui a dit cela.

JIMMY FLEURY : Vous avez employé le mot « humble ».

A. MNOUCHKINE : Ce n'est pas moi non plus, mais je veux bien. Je l'admets.

JIMMY FLEURY : Il n'y a personne qui emploie « humble » de la même façon [rires et applaudissements], je voudrais donc savoir ce que vous entendez par là !

A. MNOUCHKINE : Alors, on va voir. [A. Mnouchkine ouvre un dictionnaire posé devant elle.]

JIMMY FLEURY : Non, dans vos propres mots. Comment définit-on un comédien humble ?

A. MNOUCHKINE : Je vais vous dire ce que ça veut dire. « Humble. » Attendez ! Ça, ça ne nous intéresse pas du tout... « L'humble violette... une humble demeure... la vie humble... » Non, il n'y a rien d'intéressant. Mais, ici, c'est le contraire. Humble, c'est le contraire d'arrogant et d'orgueilleux. [Rires.] Ce qui est nécessaire pour une troupe, c'est de savoir qu'on ne sait rien. La petite anecdote que j'ai racontée sur cet élève de Strasbourg qui m'a dit : « Mais enfin, j'ai fini l'école ! » Hein ! Il faut savoir que ce n'est pas une honte de ne pas savoir ; que c'est, par contre, une honte de cacher qu'on ne sait pas et qu'au théâtre, avant de pouvoir dire vraiment qu'on possède un art, il faut du temps. D'une certaine façon, on ne devrait pas dire, quand on sort d'une école : « Je suis comédien. »

Il faut savoir aussi qu'au théâtre on ne fait rien sans les autres, que tout est donné par l'autre. Qu'on ne fait rien si on n'écoute pas, qu'on ne fait rien si on ne reçoit pas. Que c'est toujours très difficile de savoir, dans un spectacle, qui a donné quoi, d'où est venu quoi.

Et il faut savoir qu'on ne se montre pas soi-même aussi. Vous êtes tous tout à fait passionnants en tant que tels. Mais vous et seulement vous, sur une scène, ce n'est pas passionnant du tout.

Vous n'êtes passionnant que si vous arrivez avec quelqu'un d'autre, habité par quelqu'un d'autre, envahi par quelqu'un d'autre, au service de quelqu'un d'autre. On devrait savoir que c'est quand même Eschyle, le monsieur important. C'est quand même lui qui nous donne le pain quotidien du corps, au sens matériel du terme, et de l'âme.

Un public, c'est un rassemblement d'humanité à son meilleur

CLAUDE DESPINS
École nationale
de théâtre
du Canada : Il y a une chose qu'on semble oublier quand on est souvent entre gens de théâtre, entre étudiants aussi, c'est que le public est celui pour qui on travaille. J'aimerais que vous me parliez du public, ce qu'on doit faire pour le public. Est-ce qu'il faut plaire au public à tout prix ?

A. MNOUCHKINE : Pendant les répétitions, il ne faut rien faire pour le public. Pendant les répétitions, je ne pense au public que pour deux choses : Est-ce qu'on comprend ? Est-ce qu'on entend ? Je ne pense donc pas au public.

Je commence à penser à lui avec terreur huit ou dix jours avant qu'on commence à jouer. On commence à penser vraiment au public quand, avec Maria et Selahattin qui s'occupent du bar, on commence à se dire : « Bon, qu'est-ce qu'on fait à manger ? » On ne pense donc pas au public.

Je ne pense pas qu'il faille plaire au public à tout prix. Ce n'est pas la question que des acteurs et des metteurs en scène honnêtes se posent pendant les répétitions. Ils ne se disent pas : « Est-ce que ça va plaire ? » Ils se disent : « Est-ce que ça me plaît ? »

Moi, je ne peux avoir comme critère que mon émotion, mon plaisir, mon rire, mon chagrin. Le miracle survient lorsque ça correspond ensuite au rire, à l'émotion, au plaisir du public. La catastrophe, c'est quand ça ne correspond pas. Mais après tout, comme disait Conrad, « on peut me critiquer mais au moins sachez que mes intentions étaient pures ».

On ne doit penser au public qu'en termes de politesse. Est-ce qu'il comprend ? Est-ce qu'il voit ? Il faut toujours se mettre dans la position où on était, nous, avant de commencer à travailler.

Mais sinon, quand un spectacle commence, quand on ouvre les portes au public, alors là, oui ! Avant que vous, public, entriez, il y a juste une toute petite rencontre entre les acteurs et moi, juste avant qu'on ouvre les portes. On se dit deux ou trois mots et puis je dis cette phrase rituelle : « Le public entre. » Et le public entre. Alors, c'est vraiment : « Attention, le roi entre. » Ça résonne comme ça. Le public entre.

À partir du moment où cette phrase est dite, tout doit être impeccable. Il y a une solennité. Pas une raideur, mais une solennité. Il ne faut pas un mégot.

Et le public lui-même monte vers la montagne. Le lieu aide le public à monter à la montagne. En plus, par le fait que les places ne sont pas numérotées, on oblige ce public à venir une heure avant le spectacle. C'est aussi une astuce pour que le public ait cette heure pour se préparer. Si on lui demande cet effort, il est évident qu'il devrait avoir l'endroit pour le faire.

Ceci n'est pas toujours possible en tournée. Il faut bien comprendre que, lorsqu'on installe un lieu aussi immense que l'aréna, le lieu ne peut pas être aussi fignolé qu'à la Cartoucherie qui a été, qui est un lieu que nous possédons, que nous hantons, que nous habitons depuis vingt ans. Ça s'appelle le respect du public.

Un public, c'est vraiment un rassemblement d'humanité à son meilleur. C'est rare. C'est extraordinaire, six cents, sept cents ou neuf cents personnes qui ont fait

Photo : Martine Franck (Magnum)

***1793* (création collective).**

« Un public, c'est vraiment un rassemblement d'humanité à son meilleur. C'est rare. » (p. 108)

l'effort de venir ensemble partager un texte qui, en l'occurrence, a deux mille cinq cents ans ou dix ans d'âge, peu importe ! Ils sont venus se nourrir. Nourrir l'intelligence, se nourrir les yeux, le cœur. Donc, c'est vrai que, pendant un moment, le public est toujours meilleur. Il faut qu'il ait tout ce qu'il faut pour progresser. Mais, pendant les répétitions, il ne faut pas penser au public.

CLAUDE DESPINS : Quand on arrive à la première et qu'on se rend compte que le spectacle ne plaît pas au public, qu'est-ce qu'on fait ?

A. MNOUCHKINE : On ne peut pas changer de public, et on peut ne pas vouloir changer de spectacle. Il faut se battre. Ça nous est rarement arrivé, mais il nous est arrivé de sentir que le public n'embarquait pas autant que nous l'avions espéré.

Ici, par exemple, la première des *Atrides*, ce n'était pas gai. Et pourtant, c'était une très belle représentation d'*Iphigénie*, mais avec un public qui restait froid comme un poisson froid.

J'ai dit à Marie-Hélène [9] : « Écoute, il faudra bien qu'ils s'y fassent. » [Rires.] Et, apparemment, le public s'y est fait.

Je sais, par exemple, qu'avec le spectacle sur Sihanouk, le début a été difficile. Les gens ne savaient pas trop s'ils aimaient ou s'ils n'aimaient pas. Mais, nous, on savait qu'on aimait. Et, à ce moment-là, il faut tenir. Il faut défendre son spectacle.

Si on est convaincus que nos intentions sont pures, et que le texte qu'on défend en vaut la peine, il faut tenir envers et contre tout. Je ne parle même pas des critiques. Ça, il ne faut pas les lire. Mais avec le public, il faut tenir, il faut tenir.

Cela dit, je crois qu'il faut tenir une fois, deux fois, trois fois, quatre fois, cinq fois, mais si ça continue, il faut se poser quand même des questions.

Il ne faut pas ériger l'échec en triomphe. C'est-à-dire qu'il faut savoir mettre chaque chose à sa place. Comme disait Gandhi, « victoire et échec sur le plateau de la balance », mais si la salle est tout le temps vide,

9. Marie-Hélène Falcon, directrice du Festival des Amériques et organisatrice de la venue du Théâtre du Soleil à Montréal.

peut-être qu'il y a de petites choses à changer. [Rires.] Peut-être qu'on a oublié d'ouvrir la porte. [Rires.]

DOMINIQUE DAOUST
Département de
théâtre de l'UQAM : Tout à l'heure, vous avez dit qu'entre les spectacles vous vous demandiez quel était l'avenir de la troupe, que c'était parfois à contre-courant de tout ce qui se faisait. Vous parliez aussi de l'amour et de la poésie. On vous fait parfois le reproche de prendre des comédiens de toutes les nationalités, ce qui rend la compréhension quelquefois difficile. Je me demande si cela fait partie de votre amour de la poésie que de rendre compte de ce courant où tous les gens se rencontrent, où la terre devient plus petite.

Ici, les gens viennent de partout. On n'a pas tous le même accent, mais on se comprend. La terre se dirige vers ça. C'est comme une espèce de respect de la vie, d'amour que vous avez pour la vie. Qu'est-ce que vous répondez aux gens ou aux journalistes ou aux critiques qui vous reprochent ce manque d'homogénéité qui rend la compréhension du texte difficile ?

A. MNOUCHKINE : Il y a deux choses dans votre question. Quand on me dit ça, ici, je me dis : « C'est l'accent français qui est difficile à comprendre. C'est pas forcément l'accent de Niru ou de Simon ou de quelqu'un d'autre. » Tout à l'heure, quelqu'un qui avait un très fort accent canadien m'a dit : « C'est très beau mais, avec vos accents, c'est difficile à comprendre. » Mais, en fait, les acteurs ont très peu d'accent, très, très peu.

DOMINIQUE DAOUST :
Donc, en France, les gens remarquent moins.

A. MNOUCHKINE : Non, en France, ils remarquent qu'il y a une musicalité, mais personne ne dit ni que Niru est difficile à comprendre ni que Juliana est difficile à comprendre. Le fait maintenant qu'il y a tellement de nationalités dans la troupe, je crois que c'est parce que c'est un théâtre français et que c'est le reflet exact de la situation française. J'espère bien que ça va le rester et que la France restera, malgré tous ses démons, ce pays ouvert qu'elle est. On fera tout pour ça en tout cas. C'est donc le reflet d'une situation et non pas une volonté de ma part d'avoir des gens du monde entier puisque ce sont eux qui viennent.

Ils viennent sûrement par affinité. Je ne vais pas les chercher. Ils viennent en France et ils viennent chez nous. Et nous sommes un théâtre de France. Donc, c'est normal qu'il y ait comme ça tout ce mélange. C'est notre richesse et c'est aussi la richesse de la France.

DOMINIQUE DAOUST :
Vous allez jouer à New York bientôt. Est-ce que vous jouez en français ou en anglais ?

A. MNOUCHKINE : Non, non. En français. Nous défendons notre langue. [Rires et applaudissements.] On a joué à Los Angeles les Shakespeare.

DOMINIQUE DAOUST :
Et les gens répondaient bien ?

A. MNOUCHKINE : Magnifiquement. Je crois que le théâtre a un langage à lui. Je ne dis pas qu'ils ne perdent pas quelque chose. C'est toujours plus difficile dans une autre langue, mais au théâtre il y a normalement une partie qui passe de toute façon par le jeu.

CHRISTOPHER PICKER
Département de
théâtre de l'UQAM : Votre troupe est basée sur la durée. Est-ce que vous avez comme politique que les gens peuvent sortir ou rentrer à leur guise dans la troupe ? Autrement dit, est-ce que ça vous arrive de « prendre un break » comme on dit ici, de vous arrêter, de vous éloigner un peu de votre troupe pour y revenir ?

A. MNOUCHKINE : Oui, mais si je m'éloigne, ce n'est pas pour aller ailleurs. Je m'éloigne pour reprendre un peu de force. Je ne fais pas autre chose à ce moment-là. Je le fais, soit parce que je suis en train de commencer des traductions ou de travailler sur le prochain projet. Comme je l'ai dit au début, je n'envisage pas de faire du théâtre autrement que comme ça.

Mais que certains comédiens, au bout d'un moment, aient besoin d'autre chose, c'est évident. C'est ce qui occasionne, par moments, des départs.

Des retours, il y en a eu aussi mais je pense que, une fois qu'on est sorti, il est extrêmement difficile de revenir, ne serait-ce que pour des raisons financières.

CHRISTOPHER PICKER :
Est-ce que vous pensez à la relève ou pensez-vous que la relève va se faire d'elle-même ?

A. MNOUCHKINE : La relève, oui, j'y pense. J'y pense aussi en me disant que ce serait bien si, pendant un an, quelqu'un d'autre prenait ma place. Cela aurait déjà pu se faire, mais en général, quand il y a une relève possible, ce n'est pas seulement le metteur en scène qui est en train de naître, c'est aussi le directeur de troupe. Donc, à ce moment-là, il y a essaimage.

Pour l'instant, à part Philippe Caubère qui a monté *Dom Juan* chez nous avant de s'en aller, il n'y a encore personne qui ait fait de mise en scène. Mais ce n'est pas du tout exclu.

Je trouve votre question terrifiante

CHRISTOPHER PICKER :

À une époque de plus en plus vidéoclip, où l'image a préséance sur la parole, sur le texte, est-ce que vous croyez que le public « normal » comme vous dites, est encore apte à comprendre des textes comme ceux d'Eschyle, de Racine ou de Shakespeare en représentation ?

À la lecture, on peut relire, recommencer un texte, reprendre une réplique pour essayer de la comprendre, mais, après une seule représentation, est-ce que vous pensez que le public contemporain est encore apte à tout comprendre ? Peut-on comprendre encore aujourd'hui la magie de Racine, la musique des vers de Corneille aussi bien qu'il y a deux ou trois cents ans ?

A. MNOUCHKINE : Je trouve votre question terrifiante. Ce n'est pas une critique sur vous, mais que vous puissiez poser cette question me terrifie. Ça prouve une telle inquiétude dans le meilleur des cas, ou un tel mépris de l'appétit culturel, de l'appétit de beauté ou d'intelligence des gens dans le pire des cas que je me dis que si, dans cette enceinte, on se pose ce genre de questions, alors on est fichus. Parce que si nous ne sommes plus aptes à comprendre, à qui la faute ?

Alors, bien sûr que le public est apte ! Le public, tous les soirs, répond à votre question. Chaque fois qu'on commence *Les Atrides* et qu'on les finit, je regarde ce public ici, à Toulouse, à Paris, en Angleterre, dans les pays non francophones, j'écoute et j'entends le silence. Et je me dis que c'est quand même inouï. Dans une époque, comme vous l'avez dit vous-même, de vidéoclip, de médiocrité, de paresse intellectuelle totale, de propagande commerciale totale, on met huit cents, neuf cents personnes dans une salle pendant deux heures, deux heures et demie. Ils écoutent *Agamemnon*, c'est-à-dire la pièce la plus difficile du monde. Ils l'écoutent et ils pleurent. Et après, on ose les mépriser suffisamment pour se demander s'ils sont encore aptes à comprendre ? C'est eux qui sont aptes et nous qui ne le sommes pas !

CHRISTOPHER PICKER :

Je me suis peut-être mal exprimé. Je voulais dire que, dans notre société contemporaine, où l'image est de plus en plus importante, on survole souvent les choses plus superficiellement. Les gens ont souvent tendance à moins se concentrer. C'est vrai qu'il y a beaucoup de gens qui voient vos spectacles, mais est-ce que vous trouvez que c'est plus difficile maintenant d'atteindre les gens que ça ne l'était auparavant, à une époque où il n'y avait pas de télévision ?

A. MNOUCHKINE : Je ne sais pas. Je n'étais pas là il y a deux mille cinq cents ans. Je ne sais pas comment c'était. [Rires.] Tout ce que je sais, c'est que nous ne devons pas céder. Nous devons résister. Voilà.

Et ce qui m'a catastrophée, c'est d'apprendre qu'il n'y a plus ni grec ni latin au Québec. Je trouve que c'est une catastrophe. Et je ne comprends même pas comment un peuple qui défend le français peut abandonner le latin et le grec. [Applaudissements.] Ça me paraît une erreur. Les bras m'en sont tombés. J'ai dit : « Comment ? Ils sont là à parler tout le temps du français, et ils ne font plus de latin et de grec ? » Ça, c'est un abandon de souveraineté très grave. C'est l'abandon de la souveraineté de la langue, de l'origine de la langue, de la culture. Mais battez-vous, bon sang, pour ça ! au lieu de dire : « Est-ce que les gens sont encore aptes ? » [Applaudissements.]

CHRISTOPHER PICKER :

C'est cela que je voulais dire parce que, maintenant, on parle beaucoup du théâtre contemporain du XXe siècle, de théâtre québécois. On veut faire du québécois, on veut faire du XXe siècle, on veut faire du théâtre des années quatre-vingt, des années quatre-vingt-dix. Mais si on parle d'un texte classique, de Corneille et de Racine, on dit : « Ouache ! c'est pas bon, c'est du passé, c'est vieux. Ça ne nous intéresse pas. Ce n'est plus de notre temps. » Mais vous avez réussi, vous, avec votre mise en scène des *Atrides* à attirer des gens. C'est de plus en plus difficile. On n'enseigne plus aux gens à se forcer, à se concentrer sur une œuvre, à aller voir au-delà de l'image.

Les classiques, c'est du jogging intellectuel

A. MNOUCHKINE : Le Québec n'est pas seul dans cette situation. Pourquoi je me suis emportée comme ça sur cette histoire de latin et de grec ? C'est parce qu'on a cette épée de Damoclès suspendue au-dessus de nos têtes en France aussi. Heureusement, on a réagi à cette situation. Mais ici, c'est encore plus grave d'avoir abandonné cet enseignement.

Vous parliez de la facilité, tout à l'heure. C'est quand même curieux que, dans des endroits où on fait tellement de jogging, on ne fasse pas de jogging intellectuel ! C'est peut-être ça après tout, les classiques. C'est du jogging intellectuel.

RAYMOND NAUBER
Département de
théâtre de l'UQAM : Je voudrais entendre parler du travail corporel de l'acteur. Vous avez parlé d'échauffement. Est-ce que l'échauffement fait partie de la préparation des spectacles ou est-ce quelque chose que vous pratiquez durant toute l'année ? Quelle importance vous y accordez ? Quel temps vous lui consacrez ? Et faut-il parler d'échauffement ou d'entraînement ?

A. MNOUCHKINE : Nous pratiquons les deux. C'est-à-dire que chaque spectacle a son genre d'échauffement. Je dirai, par exemple, que, pour *Les Atrides*, avant la danse il y avait un échauffement qui était particulier pour que les acteurs ne fassent pas de claquage tout simplement. Quand les acteurs font deux spectacles en continu et qu'ils sont fatigués, le lendemain l'échauffement doit être plus doux et destiné plutôt à leur permettre de reprendre des forces.

On a appris, par contre, qu'il faut que les comédiens sentent le lien entre ce qu'ils font et le spectacle. Si les exercices qu'ils font sont très intéressants, très utiles, mais qu'ils n'ont pas de lien évident avec le spectacle, les acteurs s'en lassent très vite.

Je fais donc attention à ce que le lien avec le spectacle soit le plus évident possible. Ce n'est pas toujours possible. Ce n'est pas la peine de faire du taï chi, par exemple, pour jouer un Tchekhov. Les acteurs n'y arriveront pas, en tout cas chez nous.

Et puis il faut aussi faire attention à ne pas se tromper sur la nature de l'échauffement. Il y a des choses qui sont mal employées. L'art martial, par exemple. Il n'est pas nécessaire que tout le monde reste à méditer devant un sabre. Il y a des impostures. Il faut donc faire attention tout le temps. Il faut que l'échauffement soit en relation avec le jeu théâtral, la métaphore théâtrale, qu'on ne se prenne pas pour des samouraïs japonais.

SERGE BISSON : De par votre expérience, comment avez-vous perçu la situation des autodidactes au cours de votre carrière ? Ceux qui, par exemple, sur le tard de leur vie, sont trop vieux, ne peuvent pas entrer dans les écoles proprement dites, et donc recevoir un enseignement formel ?

A. MNOUCHKINE : Je n'arrive pas à faire de différence. C'est drôle parce que vous avez tout de suite dit « ceux qui sont trop vieux », mais il y a des autodidactes jeunes. D'une certaine façon, on peut dire qu'on est toujours un peu autodidacte et jamais totalement autodidacte. Parce que, après tout, se dire totalement autodidacte, ça voudrait dire que personne ne vous a jamais rien enseigné. J'espère bien que ce n'est pas vrai.

JOANNE SIMONEAU : Je ne suis en aucun point reliée au théâtre. J'ignore si un acteur se prépare dans le silence avant d'entrer en scène. J'ai eu l'occasion de voir *Agamemnon* et d'observer aussi la préparation. Je dois avouer que j'ai été absolument envoûtée par la façon dont les comédiens se préparaient dans le plus grand silence. J'ignore combien de temps ils y mettent, si c'est deux heures ou deux heures et demie, mais est-ce que les acteurs de la troupe du Soleil se préparent toujours dans le plus grand silence avant d'entrer en scène, quelle que soit la pièce ? Est-ce que ça fait référence à la façon dont les comédiens se préparaient à entrer en scène il y a deux mille cinq cents ans ?

Il y a le moins de bruits inutiles possible

A. MNOUCHKINE : Les comédiens se préparent avant votre entrée. Le public entre une heure avant le début, les comédiens sont déjà dans les loges. Mais ce temps est différent selon les acteurs. Il y en a qui sont plus lents et qui commencent à se préparer encore plus tôt : Juliana, par exemple, est là encore une heure plus tôt. Simon y est seulement trois quarts d'heure avant.

Ils se préparent, disons, entre une heure et demie et deux heures avant le spectacle. Ce qui est drôle, c'est que vous dites « dans le plus grand silence ». En fait, ce n'est pas le cas. Ils se parlent. Mais c'est vrai qu'ils se préparent dans le respect maximum.

Vous avez eu l'impression qu'il régnait un silence religieux dans les loges. Il règne une sorte de silence. Mais quand les acteurs ont à se parler, quand ils ont quelque chose à se demander, ils le font. Je veux dire par là qu'il n'y a pas de vœu de silence, mais il y a le moins de bruit possible.

Il y a le moins d'« inutile » possible : de bruits inutiles, de mots inutiles et je dirais presque de gestes et d'allées et venues inutiles. Mais ce que les acteurs ont à faire, ils le font. S'ils doivent aller boire un verre d'eau, ils vont boire un verre d'eau. Et s'ils doivent aller faire pipi, ils vont faire pipi. Et s'ils doivent aller se dire : « Est-ce que tu peux me prêter ça ? », ils le disent. C'est vrai, toutefois, qu'un acteur ne demandera pas à l'autre s'il a lu le journal. S'il le fait, il sait que c'est une erreur. Disons qu'ils essaieront, dans la mesure du possible, que tout ce qui se fait, ce qui se dit, aille vers la préparation d'eux-mêmes et du public.

Cela se passe toujours comme cela, mais les atmosphères peuvent différer. L'atmosphère des *Atrides* est évidemment plus raide que l'atmosphère de *L'Indiade* où les acteurs étaient comme le peuple indien. Il y avait plus de familiarité vis-à-vis du public, alors qu'avec *Les Atrides* il y a une sorte d'ignorance.

JOANNE SIMONEAU : J'aurais dû choisir le mot « recueillement », plutôt que « silence ».

A. MNOUCHKINE : Oui, c'est ça. Ils en ont besoin.

SERGE OUAKNINE : Je voudrais revenir sur la question de la voix et vous relater deux expériences.

Un acteur africain, un jour, a poussé un cri pendant une répétition. Et au moment de son cri, j'ai vu la savane, j'ai vu le paysage. Et je lui ai demandé : «As-tu eu l'image de la savane dans ton cri ?» Il m'a dit : « Oui. Je l'ai vue. »

J'ai vu ensuite un spectacle d'une compagnie que vous connaissez peut-être et qui est le Roy Hart [10]. Ils bougent très mal. Ils n'ont fait aucun travail oriental. Ils n'ont aucune aisance corporelle, mais quand ils incantent avec leur voix, on voit. On peut fermer les yeux, on a les images.

Ma question est la suivante : Pouvez-vous imaginer un théâtre où on ne bouge pas et où le mouvement se fait par la dimension vocale et non par la calligraphie du corps ?

A. MNOUCHKINE : Oui, je peux tout imaginer, mais ce que j'aimerais réussir, moi, c'est les deux. Je ne vois pas pourquoi il faut se priver de l'un ou de l'autre. Et les imperfections que vous notez chez nous ne sont pas là exprès. Ce n'est pas que je veux me priver d'un aspect, c'est que, pour l'instant, on n'a pas réussi à tout faire.

Je ne veux pas me priver du mouvement et je ne veux pas me priver de la voix. Je ne veux pas me priver du texte. Et je ne veux pas me priver de la musique. Je ne veux me priver de rien. [Applaudissements.]

CHANTAL COLLIN : Pour en revenir à la formation de l'acteur, j'aimerais vous poser une question. Qu'est-ce que vous pensez d'une indication comme : « Ton jeu est trop petit. Ça manque d'ampleur, de largeur » ? Ou alors d'une réflexion contraire : « Ça déborde trop, ramène, ramène l'émotion, il faut que ça soit contrôlé » ? Qu'est-ce que vous pensez de ces remarques que l'on fait souvent aux comédiens ?

A. MNOUCHKINE : Ça dépend. Si c'est trop petit, c'est trop petit. Je ne pense pas que c'est comme ça que je le formulerais, mais je vois bien ce que votre metteur en scène veut dire.

---

10. Le Roy Hart Theatre est un centre de formation situé dans les Cévennes. Son fondateur, Alfred Wolfsohn, en Allemagne au début du siècle, décida d'explorer les limites de la voix en écoutant les « sons » des agonisants sur le front pendant la guerre de 1914-1918. L'un de ses disciples, Roy Hart, développa des méthodes et techniques découvertes à Londres puis en France.

Quant à « ça déborde », je vois très bien. « Ramène », je vois très bien aussi. « Contrôle, contrôle » : ça, ce sont des choses qu'on dit quand ça va trop vite. Ça ne veut rien dire. Mais « ramène », oui. « Recentre », oui. Moi, je ne dis pas cela, mais je dis : « Attention, tu sors de ta bulle. »

ÉTUDIANT NON IDENTIFIÉ : Je voudrais vous poser une dernière question. Tout à l'heure, vous avez dit que le texte est ce qu'il y a de plus important dans ce que vous faites. J'aimerais savoir comment il se fait qu'au Québec ce sont maintenant les metteurs en scène qui ont pris toute la place.

On va voir une mise en scène d'André Brassard, on va voir une mise en scène d'Alice Ronfard. J'ai su, par exemple, que vous veniez bien avant de savoir quel texte vous alliez jouer. Que pensez-vous donc du fait que les metteurs en scène maintenant ont pris une telle importance, après les auteurs, après les acteurs ?

A. MNOUCHKINE : Chacun son tour. [Rires.]

ÉTUDIANT NON IDENTIFIÉ : Oui. Mais un spectacle, une pièce, le théâtre, comme vous disiez tout à l'heure, c'est avant tout avoir besoin des autres, c'est un tout.

Ce qui est important, c'est que le public aille au théâtre

A. MNOUCHKINE : Oui, mais, après tout, est-ce que c'est grave que vous ayez entendu dire d'abord que c'était un spectacle de moi ? Est-ce que ce qui compte, c'est ça ou le spectacle ?

Et puis je vais vous dire : ce que je trouve important, c'est que le public aille au théâtre. Et que, effectivement, quand il y va, il ne voie pas simplement une mise en scène d'Ariane Mnouchkine, mais qu'il voie vraiment *Iphigénie*, *Agamemnon*, *Les Choéphores* ou *Les Euménides*.

Là où je suis un peu d'accord avec vous, ça me fait un peu rigoler quand je vois écrit sur une affiche « mise en scène de M. Dupont » en aussi gros que le titre de la pièce. Ça m'agace. J'aime bien, quand on voit Molière en gros, que « mise en scène » soit en moins gros. Peut-être que les metteurs en scène se trompent parce qu'on leur dit tellement que c'est comme ça qu'il faut faire.

C'est comme pour les acteurs. Ça m'agace aussi de voir « machin, dans... » Pourquoi ? Ce sont les « ridicules » au sens que l'on donnait au mot au XVIIIe siècle.

Moi, je l'avoue, mes intentions sont pures.